New York

PIER 16

NEW YORK CENTRAL N° 31

NEW YORK CENT

NEW YORK
rien que pour vous

Dans les premières images de son film *Manhattan*, Woody Allen essaie en vain de donner une définition de New York ; son impuissance cède finalement la place à la *Rhapsody in Blue* de Gershwin… New York est une ville si indéfinissable et si fascinante qu'il faut répéter son nom comme une incantation pour en saisir la magie et comprendre pourquoi les New-Yorkais en sont fous amoureux ! Ancienne porte du Nouveau Monde, gardée par la sentinelle de la Liberté, elle mérite d'être franchie le temps d'un grand week-end. Carrefour planétaire, New York est un véritable patchwork, et il faut en croquer plusieurs morceaux pour découvrir toutes les saveurs de cette « grosse pomme » découpée en quartiers : le West Village et sa bohème, SoHo et ses boutiques branchées, Chelsea et ses galeries, Downtown et ses banquiers…

Dans les coulisses **du guide**

2016 sur la couverture, ce n'est pas pour faire joli… Vous avez entre les mains la dernière édition de notre guide. Et dernière édition, ça veut dire quoi ? Depuis plus de 15 ans que la collection existe, nous envoyons systématiquement un **auteur** sur place, à chaque nouvelle édition. Sa mission ? Dénicher de nouvelles adresses, flairer les tendances, être à l'affût des quartiers qui bougent, bref vous livrer le meilleur de la ville. Et pour les photos, c'est la même chose. Nous avons une équipe de **photographes** qui se charge de réaliser des reportages sur mesure et dédiés uniquement à la collection.

Les expos du moment…

Metropolitan Museum of Art (MET)

Chinese Textiles – Eight Centuries of Masterpieces from the MET Collection

12 septembre 2015 –
19 juin 2016

À l'occasion du 100e anniversaire de son département des arts de l'Asie, le MET célèbre tout au long de l'année ce continent fascinant. L'empire du Milieu est ainsi mis à l'honneur avec une exposition consacrée à ses précieuses étoffes. Explorant l'importance culturelle de la soie en Chine, le musée présente une vaste collection d'objets précieux (pièces de la dynastie Tang, tapisseries d'Asie centrale, costumes de cour, broderies…).

Mais aussi…

Celebrating the Arts of Japan : The Mary Griggs Burke Collection

20 octobre 2015 –
31 juillet 2016

Infos pratiques p. 44.

Museum of Modern Art (MoMA)

Picasso Sculpture

14 septembre 2015 –
7 février 2016

Pour la deuxième fois en près de 50 ans, le MoMA organise une rétrospective d'envergure sur les sculptures de Picasso, avec une centaine de pièces. Passion, passe-temps… ces œuvres plus intimes furent l'occasion pour l'artiste d'expérimenter et de se renouveler constamment. Avec une attention particulière accordée aux procédés et matériaux utilisés par Picasso, cette rétrospective met en lumière la perpétuelle mordernisation de son œuvre.

Infos pratiques p. 35.

Morgan Library & Museum

Ernest Hemingway : Between Two Wars

25 septembre 2015 –
31 janvier 2016

La Morgan Library & Museum consacre une exposition à l'un des plus grands écrivains américains du XXe s. : Ernest Hemingway. À travers lettres, manuscrits, photographies, éditions originales, c'est tout l'univers du romancier que l'on découvre, et notamment son séjour parisien des années 1920. Cette période prolifique pour l'auteur est au centre de cette exposition, et tout particulièrement ses romans *Le soleil se lève aussi*, *L'Adieu aux armes* et *Pour qui sonne le glas*.

Infos pratiques p. 37.

Whitney Museum of American Art

Archibald Motley : Jazz Age Modernist

2 octobre 2015 –
17 janvier 2016

Figure majeure de la Harlem Renaissance, Archibald Motley promet une rentrée retentissante pour le nouveau Whitney Museum. Interprète de la culture urbaine, ce peintre oublié croque la vie moderne dans les années 1920 à Chicago, Paris et Mexico. Cette exposition propose de « re »-découvrir cet artiste au style unique, mêlant expressionisme et réalisme social.

Infos pratiques p. 26.

New York Historical Society Museum

Superheroes in Gotham

9 octobre 2015 –
21 février 2016

Nés aux États-Unis dans les années 1930, les comics ont pris une place importante dans la société américaine, influençant la littérature et l'art contemporain. À l'heure où les super-héros sont devenus des licences (films, télévision, produits dérivés…), le New York Historical Society Museum revient sur l'évolution de ce phénomène socioculturel.

Infos pratiques p. 40.

Un Grand Week-end à New York sur Facebook

Retrouvez-nous sur Facebook ! Nous partageons au fil des jours les toutes dernières adresses, nos photos coups de cœur, les événements à ne pas manquer, les trucs et astuces qu'il faut connaître, et surtout nous répondons à toutes vos questions. Avec *Un Grand Week-end*, vous ne voyagerez plus jamais seul…

www.facebook.com/ungrandweekendnewyork

Calendrier
des événements

Les New-Yorkais adorent les carnavals, les fêtes et les parades. De la fin du printemps au cœur de l'hiver, le calendrier des festivités est bien rempli !

Janvier

Winter Antiques Show

La plus prestigieuse foire aux antiquités des États-Unis à Park Avenue Armory.

www.winterantiquesshow.com

Winter Restaurant Week

Les grands restaurants de New York proposent des menus à $25 le midi et $38 le soir (hors taxe) pendant une vingtaine de jours. Même opération en juillet-août avec la **Summer Restaurant Week**.

www.nycgo.com/restaurant-week

Février

Mercedes-Benz Fashion Week

Une semaine de défilés haute couture à Manhattan en février et en septembre.

www.mbfashionweek.com

Empire State Building Run Up

Une course où les athlètes doivent gravir en courant 1 576 marches et atteindre le 86e étage de l'un des plus hauts buildings de New York.

www.nyrr.org

Mars

The Armory Show

Artistes, galeristes et collectionneurs se donnent rendez-vous aux Piers 92 et 94 pour la Foire internationale de l'art contemporain.

www.thearmoryshow.com

Avril

Easter Parade

Le dimanche de Pâques, les New-Yorkais paradent en costumes le long de 5th Ave. (10h-16h, entre 49th et 57th St.).
Infos au ☎ (212) 484 12 22.

TriBeCa Film Festival

Tapis rouge, galas, drive-in gratuits et projection d'une centaine de films du monde entier : le festival créé par Robert De Niro est un incontournable !

www.tribecafilm.com

Cherry Blossom et Sakura Matsuri Festival

Fin avril, fête des Cerisiers en fleur (Cherry Blossom Festival) au Jardin botanique de Brooklyn et festival sur la culture japonaise (concerts, mangas…).

www.bbg.org

Mai

Ninth Avenue Food Festival

Pendant un week-end, toutes les cuisines du monde sont célébrées dans cette foire à ciel ouvert de Hell's Kitchen (9th Ave., entre 42th et 57th St.).

www.ninthavenuefoodfestival.com

Shakespeare in the Park

De fin mai à août, Shakespeare est à l'honneur sur la scène du Delacorte Theater dans Central Park, et c'est gratuit !

www.publictheater.org

Juin

Museum Mile Festival

Un jour par an, dix musées (MET, Guggenheim…) ouvrent leurs portes gratuitement de 18h à 21h. Animations et concerts sur 5th Ave.

http://museummilefestival.org

Summer Stage

Tout l'été (juin-août), concerts pop de haute volée, opéras, danse et théâtre en plein air à Central Park et dans plusieurs parcs de la ville. Gratuit ou payant.

www.cityparksfoundation.org/summerstage/

Mermaid Parade

Défilé kitsch et festif de sirènes et de créatures décalées à Coney Island.

www.coneyisland.com

Celebrate Brooklyn !

De juin à août, musique, danse, théâtre et projections de films gratuits à Prospect Park. « Benefit Concerts » payants.

www.bricartsmedia.org

NYC Pride Week

Une semaine de manifestations dans toute la ville, qui culmine avec la grande parade des communautés homosexuelles sur 5ᵗʰ Ave., le dernier dimanche de juin.

www.nycpride.org

River to River Festival

Pendant une dizaine de jours, plus de 150 spectacles et concerts gratuits dans Lower Manhattan.

http://lmcc.net/program/river-to-river/

Juillet

Macy's 4th of July Fireworks

Pour la fête de l'Indépendance, le magasin Macy's offre un feu d'artifice spectaculaire (21h).

http://social.macys.com/fireworks/

Nathan's Hot Dog Eating Contest

Depuis 1916, le 4 juillet, les plus gros mangeurs de hot dogs s'affrontent à Coney Island.

www.nathansfamous.com

Lincoln Center Festival

Musique, danse, théâtre, opéra dans toute la ville : le festival le plus attendu de l'année !

www.lincolncenterfestival.org

MoMA PS1 Warm Up

Musique *live,* danse, DJ et accès aux expos du centre d'art contemporain PS1 dans le Queens (tous les samedis juil.-sept.).

www.momaps1.org

Lincoln Center Out of Doors

Danse, théâtre et musique : une centaine de spectacles gratuits sur une scène en plein air du Lincoln Center (fin juillet-début août) !

www.lcoutofdoors.org

Août

Fringe Festival

Un festival consacré au théâtre d'avant-garde avec plus de 1 000 représentations en deux semaines.

www.fringenyc.org

US Open de tennis

Fin août-début septembre, l'un des quatre tournois du grand chelem à Flushing Meadows dans le Queens.

www.usopen.org

Septembre

Electric Zoo Festival

Trois jours de musique électro au Randall's Island Park.

electriczoofestival.com

New York Film Festival

Fin septembre, la Film Society se fait la vitrine du cinéma d'art international et d'avant-garde.

www.filmlinc.com

Octobre

Open House New York

Des lieux fermés au public ouvrent leurs portes gratuitement un week-end par an.

www.ohny.org

Village Halloween Parade

Le soir du 31 octobre, un immense défilé macabre de sorcières et de fées Carabosse longe 6ᵗʰ Ave. (entre Spring St. et 21ˢᵗ St.).

www.halloween-nyc.com

New York Comic Con

Le rendez-vous des amateurs de comics et de pop culture, des geeks et des *cosplayers* au Jacob Javits Center.

www.newyorkcomiccon.com

Novembre

New York City Marathon

Rendez-vous le 1ᵉʳ dimanche de novembre pour le plus célèbre des marathons.

www.tcsnycmarathon.org

Thanksgiving Day Parade

Le 4ᵉ jeudi de novembre, chars et fanfares descendent Broadway pour une des parades les plus prisées de la ville.

http://social.macys.com/parade

Décembre

Christmas Tree Lighting Ceremony

Début décembre, illumination du plus grand sapin du monde sur l'esplanade du Rockefeller Center.

New Year's Eve

Pour fêter le passage à la nouvelle année, les New-Yorkais se retrouvent à Times Square pour la célèbre descente de la boule de cristal illuminée. Feux d'artifice à Central Park.

www.timessquarenyc.org

Festivals et parades

Les fêtes, festivals et parades des communautés minoritaires sont à découvrir en p. 69.

10 expériences
uniques

1 Gravir 100 étages **en moins d'une minute…**

… et voir défiler l'histoire de New York sur les murs de l'ascenseur du One World Observatory, la plateforme d'observation du plus haut gratte-ciel d'Amérique (p. 12). Vertigineux !

2 Explorer **le port de New York…**

… en profitant d'un aller-retour gratuit en ferry à Staten Island ou Governors Island (p. 11 et p. 146-147). Une échappée sur l'eau gratifiée de vues imprenables sur Miss Liberty et la *skyline* de Manhattan.

3 Marcher sur les pas **des immigrants du XIXᵉ s…**

… en explorant les sombres *tenements* du Lower East Side (p. 18), le plus vieux *delicatessen* de la ville, Russ & Daughters (p. 121), ou l'émouvante Eldridge Street Synagogue, la première synagogue américaine (p. 19).

4 Exercer ses talents **de designer…**

… en dessinant son propre papier peint avec un stylo digital grâce à la nouvelle expérience interactive « The Pen » du Cooper-Hewitt National Design Museum (p. 45).

5 Chiner **au Brooklyn Flea Market…**

… le plus cool des marchés aux puces, pour débusquer robes hippies, vieux drapeaux américains, jouets oubliés et cartes postales rétro (encadré p. 107).

Débusquer **les fantômes…**

… de Merchant's House (p. 21), la maison la plus hantée de Manhattan ! En plus des visites classiques, une visite guidée du côté obscur (*Candlelight Ghost Tour*) est proposée chaque mois de janvier à juin et pour Halloween.

Prendre **le téléphérique…**

… de Roosevelt Island et s'envoler au-dessus d'East River (p. 147). Une vue inédite sur Manhattan pour le prix d'un ticket de métro !

Jouer les *foodies* **à Smorgasburg…**

… un immense marché gourmand en plein air où l'on se régale de *local food* dès l'arrivée des beaux jours (p. 121) ! Bruncher le samedi à East River State Park, dans le quartier *hipster* de Williamsburg (p. 50) ou le dimanche à Brooklyn Bridge Park (p. 48).

Plonger dans l'ambiance **d'un campus américain…**

… à Columbia University (p. 47). Pelouses squattées par les étudiants, stands de geeks… vous propulsent dans un *teen movie* !

Dénicher l'entrée secrète **d'un *speakeasy*…**

… comme le Raines Law Room (p. 128) ou PDT (p. 125), inspirés des bars clandestins de la Prohibition, et s'attendre à voir débarquer Al Capone en commandant son cocktail. Le plus beau ? Apothéke (p. 125), une ancienne fumerie d'opium de Chinatown.

Un grand week-end
sur mesure

Suivez notre programme pour ne rien rater des incontournables
de New York… Le guide compte 20 visites réparties dans toute la ville.
Évidemment, en trois jours, vous ne pourrez pas faire toutes ces balades.
À vous de voir si vous voulez remplacer telle visite par une autre
en fonction de vos centres d'intérêt.

JOUR 1 : au petit matin, prenez le ferry pour la
statue de la Liberté et Ellis Island (optez pour
la visite de la seconde ! – p. 10). De retour à Financial
District, traversez le Brooklyn Bridge (p. 48) pour
admirer la *skyline* de Manhattan ou passez devant le
9/11 Memorial (p. 12) avant de remonter en métro
vers Midtown. Descendez la prestigieuse 5th Avenue,
grimpez en haut du Top of the Rock (p. 34) et
mesurez-vous aux mythiques Chrysler Building
(p. 36) et Empire State Building (p. 30). Pour finir,
plongez dans l'effervescence de Times Square
by night (p. 32) !

JOUR 2 : selon les goûts, matinée culturelle au MET (p. 44), au MoMA (p. 35) ou
à l'American Museum of Natural History (p. 40), si vous êtes avec des enfants,
suivie d'un pique-nique à Central Park (p. 41). L'après-midi sera consacré au
lèche-vitrines du côté de SoHo et NoLIta (p. 22) avant de faire le plein de *dim
sum* à Chinatown (p. 16) ou de *knishes* dans le Lower East Side (p. 18). En soirée,
mêlez-vous à la faune branchée d'East Village (p. 20) pour boire un verre.

JOUR 3 : flânerie dans le quartier mythique du Village (p. 24), de vieux cafés en boutiques intimes, avec une pause à Washington Square Park (p. 24) pour observer les joueurs d'échecs. Poussez jusqu'au branché Meatpacking District (p. 26) pour une visite du Whitney Museum (p. 26) et empruntez la promenade suspendue de la High Line (p. 27) jusqu'à Chelsea. Pause gourmande au Chelsea Market (p. 27) ou vernissage dans une galerie d'art, c'est à vous de choisir ! Retour dans le Village à la nuit tombée, pour s'accouder au comptoir d'un vieux pub bohème ou vibrer dans un club de jazz.

Déjà venu ?

Vous connaissez déjà les incontournables de New York ? Sortez des sentiers battus et explorez les *boroughs* extérieurs, plus authentiques. Arpentez Harlem la musicale (p. 46), entre jazz, *soul food* et gospel ; paradez dans le Brooklyn arty de DUMBO et de Williamsburg (p. 48 et 50) ; ou prenez l'air sur la plage de Coney Island (p. 49), avec sa fête foraine surannée et le petit quartier russe de Little Odessa (p. 49). Enfin, le Museum of the Moving Image et le PS1 sont les bonnes surprises d'un Queens métissé en plein renouveau (p. 52).

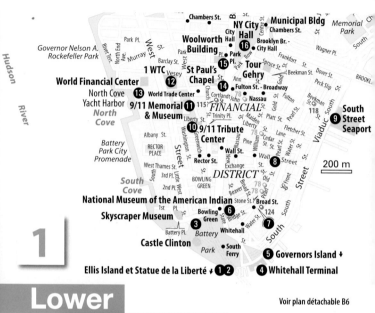

Chambers St.
NY City
Hall
Municipal Bldg Memorial Park
City Hall · Chambers St.
Woolworth **16** Brooklyn Br. -
Building Park City Hall
Pl. · Park Pl.
Governor Nelson A. Rockefeller Park
1 WTC **St Paul's** **15** Tour
Chapel Gehry
World Financial Center **12** **14** Fulton St. - Broadway
North Cove **13** World Trade Center Nassau
Yacht Harbor **9/11 Memorial** **11** 115 **118** South
North Cove **& Museum** **9** **Street Seaport**
10 **9/11 Tribute**
Battery Park City Promenade RECTOR PLACE **Center**
Wall St. **8**
South Cove
DISTRICT
BOWLING GREEN
200 m
National Museum of the American Indian Broad St.
Skyscraper Museum Bowling **6** 124
3 Green **7**
Castle Clinton *Battery* Whitehall
Park South Ferry **5** **Governors Island** ↓
Ellis Island et Statue de la Liberté ↓ **1** **2** **4** **Whitehall Terminal**

Lower
Manhattan

Voir plan détachable B6

Églises coloniales, buildings du XIXe siècle, entrepôts maritimes… les vestiges du vieux New York télescopent les gratte-ciel futuristes du Financial District, le cœur financier du monde fourmillant de traders et de *golden boys*. De Battery Park, on s'évade en ferry pour Liberty Island et Ellis Island. De Brooklyn Bridge, la *skyline* de Downtown, privée de ses tours jumelles en 2001, dévoile ses nouvelles icônes : le One World Trade Center et la tour New York de Frank Gehry au 8 Spruce Street.

❶ La statue de la Liberté★★★

Ferry au départ de Battery Park Tickets à Castle Clinton
☎ (212) 363 32 00
www.nps.gov/stli
Résa à l'avance obligatoire pour visite piédestal ou couronne au
☎ 1 877 523 98 49 ou sur www.statuecruises.com (voir aussi p. 148)
T. l. j. 9h30-17h (horaires variables)
Ferry pour Liberty Island et Ellis Island : $18, avec couronne $21
Voir « Pour en savoir plus » p. 54.

Impossible de ne pas aller saluer Miss Liberty, le plus célèbre

monument de New York ! Véritable prouesse technique,

ce chef-d'œuvre de la statuaire monumentale du XIXe s. a été réalisé à Paris par le sculpteur français Bartholdi, avec la collaboration de Gustave Eiffel pour la charpente en acier. Si vous n'avez pas de pass pour le piédestal (musée + plateforme d'observation) ou la couronne, vous pouvez faire le tour de l'île avec un audioguide.

❷ Ellis Island★★★

Ferry au départ de Battery Park Tickets à Castle Clinton
☎ (212) 363 32 00

www.nps.gov/elis
Résa au ☎ 1 877 523 98 49
ou sur www.statuecruises.com
(voir aussi p. 148)
T. l. j. 9h30-17h (horaires variables)
Une partie du musée est
temporairement fermée
pour travaux
Ferry pour Liberty Island et Ellis
Island : $18 ; visite guidée de
l'hôpital (*Hard Hat Tour*) : $25
(résa sur le site)
Voir « Pour en savoir plus » p. 55.

L'« Île des Larmes » est devenue
un lieu de pèlerinage pour de
nombreux Américains : c'est ici
qu'ont transité plus de douze
millions d'immigrés entre 1892
et 1954. D'émouvants graffitis
ont été conservés sur les murs
et des souvenirs de passagers
en transit sont exposés (voir
aussi p. 67).

❸ Battery Park★

www.thebattery.org
Ce coin de verdure invite
à la promenade au bord
de l'eau avec de beaux points
de vue sur la statue de la
Liberté, Staten Island et le
New Jersey. Ancienne batterie
d'artillerie, Castle Clinton
(1812) servit de salle de
spectacle, de centre d'accueil
pour les immigrants avant la
construction d'Ellis Island et
d'aquarium. Non loin, l'étonnant
Seaglass Carousel, ballet de
poissons iridescents dans un
pavillon coquillage, simule
une plongée dans l'océan.

❹ Staten Island Ferry★★

Whitehall Terminal, à l'angle
de Whitehall et South St.
☎ (718) 727 25 08
www.siferry.com
T. l. j. 24h/24, départ ttes les 30 min
(15 min aux heures de pointe)
Accès libre.

Embarquez dans l'un de ces gros
ferries orange qui conduisent les
habitants de Staten Island (le
troisième plus grand *borough* de
New York) jusqu'à chez eux. La
traversée de la baie de New York
(25 min) offre un panorama
exceptionnel sur la pointe sud
de Manhattan et frôle la statue
de la Liberté. Cette échappée ne
vous coûtera pas un penny !

❺ Governors Island★★★

• Battery Maritime Building
10 South St.
☎ (212) 440 22 00
www.govisland.com
Accès à l'île fin mai-fin sept. :
lun.-ven. 10h-18h, sam.-dim.
10h-19h

Départ ttes les 30 à 60 min
Ferry $2, gratuit sam.-dim.
à 10h, 11h et 11h30
• Accès possible également
depuis Brooklyn
Voir p. 147 pour toutes
les précisions.

Face au port de New York, cet
îlot de calme et de verdure est
une destination de week-end
très prisée des New-Yorkais.
Ancienne base militaire, l'île
des Gouverneurs s'est
reconvertie en 2003 en parc
naturel et culturel : pique-nique,
balade à pied ou à bicyclette,
aires de jeux, hamacs, concerts
et spectacles gratuits, expos,
festivités gastronomiques…
Un lieu magique avec la
skyline, la statue de la Liberté
et Brooklyn en toile de fond.

❻ National Museum of the American Indian★★

1 Bowling Green, angle State St.
☎ (212) 514 37 00
www.nmai.si.edu
T. l. j. 10h-17h (20h jeu.), f. 25 déc.
Accès libre.

❼ Pour une pause historique : Fraunces Tavern★★

Convertie en taverne par Samuel Fraunces en 1762, cette maison
de marchand géorgienne est l'un des plus vieux bâtiments de
New York (1719). Un lieu plein de charme réunissant un pub, un
restaurant et un petit musée d'histoire américaine (t. l. j. 12h-17h,
entrée plein tarif : $7). Washington fit ses adieux aux officiers de
l'Armée continentale (1783) dans la Long Room.
54 Pearl St. et Broad St. – ☎ (212) 968 17 76
www.frauncestavern.com – T. l. j. 11h-2h30.

L'ancien hôtel des Douanes (1907) abrite une importante collection d'art et d'artisanat de la culture amérindienne, des premières tribus aux artistes contemporains (exposition par rotation). C'est dans cette zone que le colon hollandais Peter Minuit aurait acheté en 1626 l'île de Manhattan aux Indiens algonquiens pour $24 ! En sortant, séance photo avec le **Charging Bull**, le fameux taureau symbole de Wall Street, au nord de Bowling Green.

⑧ Wall Street★★

Cette rue tient son nom du mur érigé par les Hollandais en 1653 pour se protéger des Indiens. En partant de Trinity Church sur Broadway, découvrez la **Bank of New York** (n° 1), la **Bourse** (New York Stock Exchange, 8 Broad St., ne se visite pas) et le **Federal Hall**, où G. Washington prêta serment en 1789 (n° 26, lun.-ven. 9h-17h, accès libre). Perdez-vous ensuite dans les ruelles (Stone St.) du New York colonial au sud de Wall St.

⑨ South Street Seaport★★

De Water St. à l'East River, entre John St. et Peck Slip
www.southstreetseaport.com

De jolies ruelles pavées et des maisons en brique du

XIXᵉ s. autour de l'ancien marché au poisson (Fulton Market) évoquent le riche passé maritime de New York. Le **Seaport Museum** en retrace l'histoire (12 Fulton St., ☎ (212) 748 86 00, www.southstreetseaportmuseum.org, ven.-dim. 11h-17h, accès libre, expositions uniquement sur r.-v.). Investi par les boutiques et les restaurants, le quartier abrite aussi le phare érigé en mémoire du *Titanic* (angle Fulton et Water St.). À voir, les navires à quai, près du Pier 17.

⑩ 9/11 Tribute Center★

120 Liberty St., entre Greenwich St. et Trinity Pl.
www.tributewtc.org
Galerie : lun.-sam. 10h-18h, dim. 10h-17h, entrée plein tarif $15
Galerie + visite guidée : dim.-jeu. 11h-15h, ven.-sam. 10h30-15h, entrée plein tarif $20
Visite audioguidée : $22.

Les événements du 11 Septembre racontés par ceux qui l'ont vécu (rescapés, familles de victimes, sauveteurs…) à travers une exposition (témoignages, films, objets personnels des victimes…) et des visites guidées du 9/11 Memorial.

⑪ National 9/11 Memorial & Museum★★★

World Trade Center, angle Liberty et Greenwich St.
☎ (212) 266 52 11
Résa sur www.911memorial.org
Memorial : t. l. j. 7h30-21h, accès libre
Musée : dim.-jeu. 9h-20h, ven.-sam. 9h-21h (dernière entrée 2h avant) ; entrée plein tarif $24, (gratuit mar. 17h-20h) ; nombre limité de billets délivrés le jour même sur place
Voir « Pour en savoir plus » p. 56.

Au cœur du nouveau World Trade Center, le mémorial Reflecting Absence (« le reflet de

l'absence ») rend hommage aux milliers de victimes tuées lors des attentats du 11 septembre 2001. Deux immenses bassins à cascades occupent la place des Twin Towers disparues. Sous un pavillon de verre, le musée souterrain du mémorial se penche sur la tragédie et ses retombées sur le monde d'aujourd'hui.

⑫ One World Observatory★★★

One World Trade Center (1 WTC), 285 Fulton St.
Entrée par West St., angle Vesey St.
☎ (844) 696 17 76
Résa sur oneworldobservatory.com
T. l. j. 9h-minuit (20h sept.-mai), dernier ticket 45 min avant

Entrée plein tarif : $32 (pour date et heure précises) ; billets flexibles ou prioritaires : $54-$90
Voir « Pour en savoir plus » p. 56.

Le Sky Pod, l'un des ascenseurs les plus rapides au monde, vous propulse en moins de 60 secondes à l'observatoire du 1 WTC (étages 100, 101 et 102), la plus haute tour des États-Unis (541 m). Le *time-lapse* diffusé sur les parois de l'ascenseur montre l'évolution de la *skyline* de Manhattan, du XVIIe s. à l'achèvement du 1 WTC. Tout

aussi renversants, la vue à 360° sur Manhattan et le Sky Portal livrant une vue haute définition des rues en contrebas.

⑭ St Paul's Chapel★

Angle Broadway et Fulton St.
☎ (212) 602 08 00
www.trinitywallstreet.org
Lun.-sam. 10h-18h, dim. 7h-18h.

La plus vieille église de New York (1766) a miraculeusement résisté à l'effondrement des Twin Towers. Lieu de repos des sauveteurs après les attentats, elle abrite une exposition et des souvenirs de la tragédie. Son vieux cimetière au milieu des buildings offre un décalage surprenant.

⑮ Woolworth Building★★

233 Broadway et Barclay St.
☎ (212) 966 96 63
www.woolworthtours.com
Visite guidée sur résa (à partir de 10 ans) : $20/$30/$45 (30/60/90 min).

Construit en 1913 par l'architecte Cass Gilbert, ce building néogothique a été jusqu'en 1930 le plus haut gratte-ciel du monde (241 m). Son hall monumental est un joyau décoré de mosaïques byzantines, de fresques, de dorures et de curieux personnages, accessible uniquement dans le cadre d'une visite guidée.

⑯ New York City Hall★

260 Broadway, niveau Murray St.
☎ (212) 639 30 00
www.nyc.gov
Visite guidée gratuite jeu. à 10h sur résa (☎ (212) 788 30 71) ou mer. à 12h (s'inscrire au kiosque d'info. touristique au sud du parc entre 10h et 11h30).

Au cœur du City Hall Park, rare espace vert du quartier, se dresse le plus ancien hôtel de ville du pays. Construit entre 1803 et 1811, le bâtiment de styles géorgien et Renaissance française cache une superbe rotonde, des portraits des XVIIIe et XIXe s. et le bureau du premier président des États-Unis, George Washington (Blue Room). Derrière, Tweed Courthouse est l'ancien palais de justice.

⑰ Pour une pause avec vue : Brookfield Place★★

Entre le petit port de plaisance de North Cove et le 1 WTC, ce gigantesque dôme en verre (ancien jardin d'hiver du World Financial Center) est la nouvelle destination shopping de Downtown. On y trouve des boutiques chic, un espace de restauration aux accents *Frenchy* (Le District) et les stands gourmands d'Hudson Eats avec tables communes et vue imprenable sur l'Hudson River !

230 Vesey St.
☎ (212) 417 24 45
brookfieldplaceny.com
Lun.-sam. 10h-21h, dim. 11h-19h.

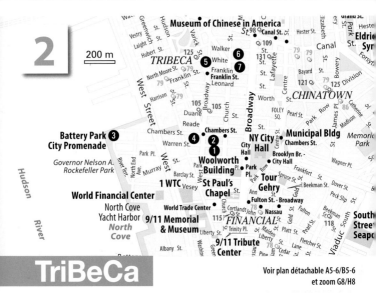

2

200 m

TriBeCa

Voir plan détachable A5-6/B5-6
et zoom G8/H8

Voisin de SoHo, l'ancien quartier industriel de TriBeCa (Triangle Below Canal Street) accuse les loyers les plus chers de Manhattan ! Dans le sillage des artistes – partis depuis longtemps –, célébrités (Robert De Niro et Harvey Keitel y ont leur société de production), gens de la finance et people ont investi ses vieux entrepôts *(cast-iron buildings)* transformés en lofts ultrachic. Il fait bon flâner dans ses rues pavées où fleurissent boutiques design, antiquaires, galeries d'art et restaurants branchés.

❶ The Mysterious Bookshop★

58 Warren St., entre
W Broadway et Church St.
☎ (212) 587 10 11
www.mysteriousbookshop.com
Lun.-sam. 11h-19h.

Bienvenue dans l'antre du roman noir, des thrillers, des récits à suspense et des histoires mystérieuses ! Cette librairie donne la chair de poule à ses clients depuis 1979 et ravira les amateurs avec sa sélection exhaustive de romans policiers (neufs ou d'occasion, de $7,29 à $25), ses éditions limitées de James Ellroy ou Michael Connelly, et la plus grande collection au monde de Sherlock Holmes.

❷ Philip Williams Posters★★

122 Chambers St., entre
W Broadway et Church St.
☎ (212) 513 03 13
www.postermuseum.com
Lun.-sam. 10h-19h.

Avec plus de 100 000 posters originaux datant de 1870 à nos jours, cette enseigne se place parmi les mieux fournies au monde. Publicités signées Villemot (Perrier, Orangina…), Savignac, Warhol ou Dalí, affiches de propagande ou de film, raretés dénichées au Japon ou en Inde, la boutique aux airs de loft est un véritable petit musée de l'affiche ! De $50 à $5 000 pour les pièces les plus rares.

❸ Battery Park City Promenade★★

Entrée à l'extrémité de Chambers St. en direction de l'Hudson River
www.bpcparks.org

petite caserne de pompiers de 1904 est célèbre dans le monde entier. Moins pour avoir été une des premières à dépêcher ses hommes au World Trade Center le matin du 11 septembre 2001 que pour avoir prêté sa façade au QG des célèbres chasseurs de fantômes dans le film *Ghostbusters*. Pour preuve, le logo SOS Fantômes sur le trottoir, casque de pompier en supplément !

Une agréable façon de faire une pause au bord de l'eau dans ce quartier minuscule qui porte le nom de « Battery Park City ». Le Governor Nelson A. Rockefeller Park, avec ses belles pelouses et sa promenade le long de l'Hudson River, est un bon moyen de s'éloigner des bruits de la ville. En face, c'est l'État du New Jersey. Si vous traversez le parc du nord au sud, vous découvrirez le point de départ des ferries pour la statue de la Liberté. Sur votre chemin, vous croiserez un petit port (le North Cove Yacht Harbor) entouré de cafés et de restaurants avec terrasses durant l'été, et le World Financial Center et son jardin d'hiver.

⑥ Let There Be Neon★★

38 White St., entre Church St. et Broadway
☎ (212) 226 48 83
www.lettherebeneon.com
Lun.-ven. 9h-17h.

Cette boutique-atelier aux airs de galerie d'art est spécialisée dans la fabrication des fameuses enseignes néons qui illuminent les restaurants, les théâtres de Broadway et les boutiques chic de 5th Avenue. Pour un néon customisé à votre prénom façon *diner* rétro, comptez au moins $750. Un lieu atypique.

⑤ Hook & Ladder 8★

14 N Moore St., angle Varick St.
Typiquement new-yorkaise avec son appareil de briques rouges et de calcaire, cette ravissante

⑦ TriBeCa Synagogue★

49 White St., entre Church St. et Broadway
☎ (212) 966 71 41
www.tribecasynagogue.org
Lun.-jeu. 9h-17h (14h en été), ven. 9h-13h
Accès libre, pas de visite pendant les services.

L'étonnante façade tout en courbe de cette synagogue construite en 1967 semble flotter entre les murs des immeubles voisins. Une curiosité architecturale qui tranche avec les vieux buildings en fonte typiques de TriBeCa. Son auteur, William Breger, a étudié avec Walter Gropius, fondateur du Bauhaus. N'hésitez pas à jeter un œil à l'intérieur.

④ Pour une pause *American breakfast* : Kitchenette★

Les délicieux petits déjeuners maison sont servis jusqu'à 16h30 dans ce petit *diner girly* aux tables en formica et comptoir à pâtisseries. Muffins tout chauds à la myrtille, bols de granola aux fruits frais, gaufres aux amandes grillées et beurre d'orange font le bonheur des lève-tard. Pour les autres, plats chauds, soupes, salades et burgers au lunch ($6,5-$15) et au dîner (plats env. $17).
156 Chambers St., entre W Broadway et Greenwich St.
☎ (212) 267 67 40 – www.kitchenetterestaurant.com
Lun.-ven. 7h30-23h, sam.-dim. 9h-23h.

SOHO

Spring St.

3

SoHo-East Iron Historic District

LITTLE ITALY

Museum of Chinese in America

Canal St.

TriBeCa Synagogue

CHINATOWN

Franklin St.
Leonard

Eastern States Buddhist Temple ❺

Eldridge Street Synagogue

Lower East Side Tenement Museum

Columbus Park

200 m

Chinatown
et Little Italy

Voir plan détachable B5 et zoom H7-8/I7-8

Bouillonnant d'animation, Chinatown et ses enseignes multicolores réservent un dépaysement total ! Les produits exotiques débordent sur les étals en plein air, les échoppes fourmillent de pacotille colorée, les canards laqués squattent les vitrines, les contrefaçons s'affichent sur Canal Street et les parties de mah-jong se disputent à Columbus Park, site de Five Points, célèbre taudis du XIXᵉ siècle. Engloutie par Chinatown, Little Italy se résume aujourd'hui à la seule Mulberry Street.

❶ Mulberry Street★

Entre Canal St. et Kenmare St.
Il ne reste que bien peu de choses de Little Italy, si ce n'est une quantité de restaurants italiens… plus touristiques qu'authentiques. On y débusque une poignée d'enseignes de la fin du XIXᵉ s. : la pâtisserie **Caffé Roma** (voir p. 79), la plus vieille crèmerie d'Amérique **Alleva** (188 Grand St., angle Mulberry, ☎ (212) 226 79 90,

t. l. j. 8h30-18h, 15h dim.) et **Ferrara** (1892), le plus ancien espresso-bar des États-Unis (195 Grand St., entre Mott et Mulberry, ☎ (212) 226 61 50, t. l. j. 8h-minuit, jusqu'à 1h sam.).

❷ Museum of Chinese in America (MOCA)★★

211-215 Centre St., entre Grand St. et Howard St.
☎ (212) 619 47 85
www.mocanyc.org
Mar.-mer. et ven.-dim. 11h-18h, jeu. 11h-21h
Entrée plein tarif : $10 (gratuit 1ᵉʳ jeu. du mois).
Ce musée consacré à la communauté américaine d'origine chinoise a investi un bel espace signé Maya Lin. En plus des expositions temporaires, la collection d'objets, photos, films, lettres, documents sonores, complétée de bornes interactives, évoque

l'histoire et la culture des immigrés chinois arrivés aux États-Unis au milieu du XIXᵉ s. et de leurs descendants.

❸ Grand Street★★

Entre Chrystie St. et Baxter St.
Les marchés de Grand St. sont réputés pour avoir les meilleurs poissons, fruits et légumes frais de New York. Allez-y le week-end, c'est le moment où tous les Chinois viennent faire leurs courses : vous serez plongé au cœur de l'Asie, entouré d'odeurs alléchantes.

❹ Canal Street★

Entre Broadway et Mulberry St.
Canal St. est avant tout réputée pour être le royaume de la contrefaçon (Rolex, Cartier, Prada…). Cependant, n'oubliez pas que l'importation de ces articles est interdite en France, que la qualité est médiocre et que les produits peuvent être dangereux pour la santé. On y trouve aussi des babioles touristiques à prix imbattables.

❺ Eastern States Buddhist Temple of America★

64 Mott St., entre Bayard et Canal St.
☎ (212) 966 62 29 ou
☎ (212) 925 87 87

http://en.mahayana.us
T. l. j. 9h-18h
Accès libre.

Pour retrouver un peu de sérénité dans ce quartier animé, rendez-vous devant ce minuscule temple bouddhiste tout de rouge et d'or, un des plus vieux de Chinatown. C'est ici, dans des parfums d'encens, que les dévots viennent déposer des offrandes devant une statue du bouddha Shakyamuni. Son petit frère, le **Mahayana Temple** (133 Canal St., entre

Bowery et Chrystie, mêmes horaires), renferme la plus grande statue de bouddha de la ville (5 m).

❻ Pour une pause glace : Chinatown Ice Cream Factory★★

Litchi, mangue, gingembre, thé vert, cookie aux amandes, crème renversée, sésame noir… les parfums proposés par ce glacier chinois ne manqueront pas de vous surprendre ($4,35 la boule).

65 Bayard St., entre Mott St. et Elizabeth St.
☎ (212) 608 41 70
www.chinatownicecream factory.com
T. l. j. 11h-22h.

❼ Doyers Street★

Pendant la guerre des Tong dans les années 1920, cette ruelle coudée où gangs rivaux s'affrontaient à la hache était surnommée Bloody Angle. De cette époque, Doyers St. a conservé le plus vieux salon de thé de Chinatown, le **Nom Wah Tea Parlor** (voir p. 79), cerné par les *barber shops*. Au coin de Pell St., le Chinatown prisé des cinéastes, **Ting's Gift Shop** est un bric-à-brac de babioles à petits prix (nº 18, ☎ (212) 962 10 81, t. l. j. 11h-19h30).

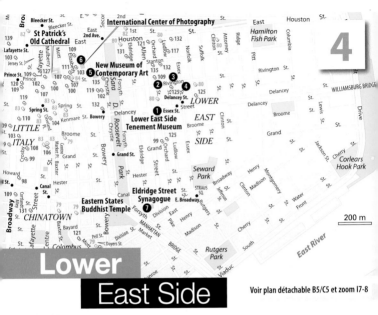

Bleecker St.
Bro.
Bleecker St.
139
82
St Patrick's
Old Cathedral
East
International Center of Photography
2nd
1st
80
132
East
Houston
St.
East
Hamilton
Fish Park
Columbia
103
2nd Ave.
East
2nd St.
Houston
121
131
117
Ridge
Attorney
Clinton
Pitt
Mott
Eldridge
Allen
Orchard
Stanton
Suffolk
Norfolk

6
New Museum of
Contemporary Art
111
103
103
127
64 St.
102
135
132
Rivington St.
Prince St.
Prince
107
100
135
132
109
80

5

3
Rivington
2
107
120
119
109
109
107
107
102
119
102
109
80
125
Forsyth
Chrystie
Sara
D.
Roosevelt
Delancey St.
4
80
St.
Delancey
WILLIAMSBURG BRIDGE
Drive

Spring St.
132
1
Essex St.
83
Street
LOWER
Delancey
Broome
Lewis
83
Spring St.
Kenmare
St. Bowery
Lower East Side
Tenement Museum
Broome
EAST
Clinton
Grand
Jackson
Cherry
09
110
104
Delancey
Broome
125
SIDE
Corlears
Hook Park
LITTLE
103
ITALY
9
108
Broome
Eldridge
Ludlow
Essex
St.
Grand
106
Crosby
99
Grand
Bowery
Park
Hester
Street
Seward
Park
Broadway
Henry
Montgomery
Water
Front
Howard
98
Canal
St.
Hester
St.
Canal
STRAUS
Clinton
Madison
East River
St.
109
Baxter
131
Eastern States
Buddhist Temple
Forsyth
Eldridge Street
Synagogue
E. Broadway
7
Division
East
Henry
200 m
CHINATOWN
Bayard
Bowery
Pell St.
MANHATTAN
Forsyth
Pike
Madison
Cherry
South
Lafayette
Centre
121
Columbus
Mott
Doyers St.
Division St.
Market
BRIDGE
St.
Rutgers
Park
Monroe
South
Viaduc
East River

Lower
East Side

Voir plan détachable B5/C5 et zoom I7-8

Le Lower East Side (le « LES ») fut le quartier modeste où s'installèrent les premiers immigrants à la fin du XIXe siècle (voir p. 67). Aujourd'hui, malgré un aspect toujours un peu sinistre par endroits, ce quartier très prisé par les jeunes créateurs et artistes en tout genre connaît un véritable essor économique. À la nuit tombée, les nombreux bars et restaurants branchés attirent les foules.

❶ Lower East Side Tenement Museum★★★

103 Orchard St., angle Delancey St.
☎ (212) 982 84 20
www.tenement.org
T. l. j. 10h-18h30 (20h30 jeu.), f. 1er janv., Thanksgiving et 25 déc.
Visites guidées uniquement, t. l. j. 10h-17h
Résa recommandée sur le site Internet ou ☎ (877) 975 37 86
Entrée plein tarif : $25.

Dans un vieil édifice, plusieurs appartements, reconstitués tels qu'ils étaient entre 1880 et 1935, offrent un témoignage poignant des conditions de vie des immigrants arrivés à la fin du XIXe s. Entrez dans l'intimité

de familles juive allemande et catholique sicilienne (*Hard Times Tour*), irlandaise (*Irish Outsiders Tour*), ou visitez l'atelier de couture de la famille Levine (*Sweatshop Workers Tour*). Le musée organise aussi des visites du quartier.

My mother worked hard to raise us five—garment factories during the day, other people's laundry at night. In our beds. She made her own starch using yucca. We also did piece work. After school, my brother Tony carried home little triangles of fabric cut for yarmulkes. Mommy sewed them down at night, sitting at her machine. We sat with her, lining up pieces for sewing and cutting loose threads when she finished. All the while we talked, and listened to Spanish soap operas on the radio.—Lillian M. Rivera

You're always walking in somebody's footsteps. Who will walk in yours?

❷ Orchard Street Bargain District★

Orchard St., entre Stanton St. et Delancey St.

Dès leur arrivée, les immigrants juifs ont mis en place une véritable industrie du vêtement sur Orchard St. Ils confectionnaient eux-mêmes tissus et habits, puis les présentaient sur des charrettes afin de les vendre. Malgré l'arrivée des boutiques branchées, on trouve encore une poignée de petits commerçants vendant tee-shirts, tissus ou articles en cuir à prix intéressants (attention, notez que certains sont fermés le samedi).

❸ Economy Candy★★

108 Rivington St., entre
Ludlow St. et Essex St.
☎ (212) 254 15 31
www.economycandy.com
Lun. et sam.10h-18h, mar.-ven.
et dim. 9h-18h.

Cette confiserie *old-fashioned*
est une institution tenue par
la même famille depuis 1937.
Du sol au plafond, des friandises
en provenance du monde
entier et un choix ahurissant
($2,99-$19,99 la livre) ! *Lollipops*
(sucettes), barres chocolatées,
bonbons gélifiés ou à croquer,
halvas et douceurs turques, fruits
secs et séchés, distributeurs
Pez… l'adresse pour retrouver
les bonbons de votre enfance !

❺ New Museum of Contemporary Art★★★

235 Bowery, angle Stanton St.
☎ (212) 219 12 22
www.newmuseum.org
Mer. et ven.-dim. 11h-18h,
jeu. 11h-21h
Entrée plein tarif : $16
(don libre jeu. 19h-21h,
min $2 suggéré).

Inauguré en décembre 2007,
ce musée d'art contemporain
offre une programmation
ambitieuse, puisqu'il se consacre
surtout à des artistes méconnus
du grand public. Le bâtiment,
tout aussi original avec
son empilement de volumes
blancs décalés, a été réalisé
par les architectes japonais
Sejima et Nishizawa.

Il comprend trois galeries
principales, un théâtre, un toit
aménagé et un café.

❻ International Center of Photography★★

250 Bowery, entre Stanton
et E Houston St.
Ouverture début 2016
Horaires et tarifs encore
inconnus lors de la mise à jour.

Fondé en 1974 par Cornell Capa
(le frère de Robert), c'est l'un des
hauts lieux d'exposition de la ville.
Le photojournalisme y est très
présent, mais le centre propose
aussi des expos thématiques ou
monographiques. Henri Cartier-
Bresson, Weegee ou Man Ray
y ont été exposés. Également
des cours, des conférences
et une boutique très bien
fournie en beaux livres.

❼ Eldridge Street Synagogue★★

12 Eldridge St., entre
Canal St. et Division St.
☎ (212) 219 08 88
www.eldridgestreet.org
Dim.-jeu. 10h-17h, ven. 10h-15h,
f. j. f. et 1ᵉʳ janv.
Entrée plein tarif : $12
(gratuit lun.).

Dans le sud du Lower East
Side se cache la première
synagogue d'Amérique
édifiée par des migrants
juifs. Inaugurée en 1887
puis abandonnée dans
les années 1920, elle a retrouvé
toute sa splendeur après
restauration. Elle accueille
des concerts, des expositions
et abrite un musée sur
l'histoire de la communauté
juive d'Europe de l'Est qui
s'installa dans le quartier
à la fin du XIXᵉ s.

❹ Pour une pause au marché : Essex Street Market★

Ce petit marché couvert des années 1940 est un concentré
du Lower East Side d'antan et d'aujourd'hui. Entre épiceries
ethniques et stands culinaires, jeunes branchés se mêlent aux
communautés juives et latino-américaines pour *luncher* de
bentos japonais, tacos, burgers, *spanakopita* ou pâtisseries
américaines…

120 Essex St., entre Rivington St. et Delancey St.
☎ (212) 312 36 03 – www.essexstreetmarket.com
Lun.-sam. 8h-19h, dim. 10h-18h.

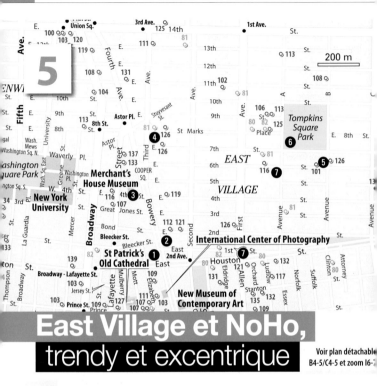

Voir plan détachable
B4-5/C4-5 et zoom I6-7

East Village et NoHo,
trendy et excentrique

Refuge de la Beat Generation et des hippies, berceau du punk, terrain de jeu de Haring et Basquiat, et théâtre de contestations, East Village incarne la contre-culture new-yorkaise. De l'excentrique Saint Mark's Place à la cosmopolite Alphabet City se succèdent échoppes de créateurs, jardins communautaires, bouis-bouis miteux, bars branchés, théâtres expérimentaux et restos ethniques de Little Tokyo, Little Ukrainia et Little India. À l'ouest de Bowery, NoHo (North of Houston) a des airs de mini-SoHo.

❶ Patricia Field★★

306 Bowery, entre Bleecker et
E Houston
☎ (212) 966 40 66
www.patriciafield.com
T. l. j. 11h-20h.

La boutique de Patricia Field, la célèbre Vivienne Westwood new-yorkaise, est un must en matière d'extravagance ! Gadgets et accessoires les plus fous, fripes dénichées on ne sait où et, bien sûr, la ligne de vêtements de la créatrice aux allures très

provocatrices sont là pour vous surprendre (de $2 à $2 000 !). Au sous-sol, chaussures et salon de coiffure… pour changer de look !

❷ John Varvatos★★

315 Bowery St., entre
E 1st St. et E 2nd St.
☎ (212) 358 03 15
www.johnvarvatos.com
Lun.-ven. 12h-20h, sam. 11h-20h,
dim. 12h-18h.
La superbe boutique du créateur américain a investi l'ancien

club mythique CBGB où se sont produits Blondie, The Ramones, Talking Heads ou encore Sonic Youth. Si les graffitis et les vieilles affiches sont toujours là, l'esprit punk a, lui, disparu, car même si la mode masculine s'inscrit dans une tendance rock-*preppy*, les prix, eux, ne sont pas très rock'n'roll… Également tee-shirts vintage Iggy Pop ou Alice Cooper (de \$150 à \$500), vinyles, livres sur le rock et amplis.

❸ Merchant's House Museum★★

29 E 4th St., entre Lafayette St. et Bowery St.
☎ (212) 777 10 89
www.merchantshouse.org
Jeu. 12h-20h, ven.-lun. 12h-17h
Visite guidée jeu.-lun. à 14h et jeu. 18h30
Ghost Tour 1 fois par mois janv.-juin et en période d'Halloween, \$20 (résa sur le site)
Entrée plein tarif : \$10.

Intacte, cette élégante demeure de style fédéral construite en 1832 appartenait au riche commerçant Seabury Tredwell. L'architecture intérieure néogrecque, le mobilier américain d'origine, les affaires personnelles et les costumes d'époque nous plongent dans la vie quotidienne d'une famille de l'*upper middle class* au XIXe s. Le fantôme de Gertrude, la plus jeune des huit enfants Tredwell, hanterait encore la maison…

❹ Trash & Vaudeville★★

4 St Mark's Place, angle 3rd Ave.
☎ (212) 982 35 90
www.trashandvaudeville.com
Lun.-jeu. 12h-20h, ven. 11h30-20h30, sam. 11h30-21h, dim. 13h-19h30.

Ce magasin atypique, tenu par des vendeurs percés et tatoués, propose vêtements (tee-shirts dès \$25), gadgets et accessoires tendance punk/gothique/années 1980, mais pas à n'importe quel prix ! Autrefois épicentre de la contre-culture et des artistes en marge, St Mark's Place change, mais Trash & Vaudeville nous replonge dans ces années-là, quand Joey Ramone ou Debbie Harry venaient s'y habiller.

❺ Community gardens★

Parmi les curiosités de New York, il y a les *community gardens*. Ce sont de petits jardins occupés et gérés par les habitants du quartier opposés à la construction de nouveaux immeubles. Entre 1st Ave. et Ave. D, l'East Village en est constellé. Tentez le **6th Street et Avenue B Community Garden,** chaos de fleurs et de plantes potagères (concerts,

expos pendant l'été), ou le **9th Street Community Garden and Park** (angle Ave. C) avec son jardin japonais.

❻ Tompkins Square Park★

Véritable centre de rassemblement de la communauté hippie menée par le mouvement Hare Krishna dans les années 1960, Tompkins Square était ensuite devenu, autour des années 1980, le point de repère des trafics de drogue… Aujourd'hui, ce parc est avant tout un espace vert apprécié par les habitants du quartier, et surtout par les propriétaires de chiens, qui profitent du plus vieux *dog run* de la ville, seul endroit où leurs bêtes peuvent s'amuser et courir sans être tenues en laisse !

❼ Pour une pause vitaminée : Juicy Lucy★

Au comptoir de cette minuscule échoppe (2 adresses dans le quartier !), jus de fruits frais exotiques (\$2,99-\$4,99) et smoothies crémeux (autour de \$5) sont mixés à la demande. C'est sain, bio et généreux, mais surtout délicieux ! Petits plats latino-américains et snacks végétariens également.
• 85 Ave. A, entre 5th et 6th St.
• Angle 1st Ave. et 1st St.
☎ (212) 777 58 29 – T. l. j. 7h30-22h30
Paiement en espèces uniquement.

6

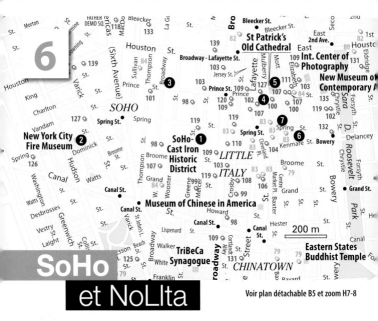

SoHo
et NoLIta

Voir plan détachable B5 et zoom H7-8

N'y cherchez pas le SoHo (South of Houston Street) des années 1960, celui de Warhol et Lichtenstein, quand les artistes inventaient les lofts dans les usines de confection désaffectées. L'ancien quartier industriel et ses fameux *cast-iron buildings* (voir p. 75) abritent aujourd'hui plus de boutiques que de galeries d'art. Magasins chic vers West Broadway, grandes enseignes américaines sur Broadway et petites boutiques fashion dans le village de NoLIta (North of Little Italy) annoncent une belle séance de lèche-vitrines !

❶ SoHo Cast-Iron Historic District★★

Entre W Broadway et Lafayette St., Canal et Houston St.

Classé zone historique, SoHo offre sur 26 blocks le plus bel échantillon de *cast-iron buildings* (immeubles en fonte) au monde. Greene St. aligne des spécimens remarquables de la fin du XIXe s., de style Second Empire (nos 28-30) ou Renaissance française (nos 72-76). De style Beaux-Arts, le Little Singer Building (1905), ancien entrepôt des célèbres machines à coudre, est l'un des plus beaux (561-563 Broadway et 88 Prince St.).

❷ New York City Fire Museum★

278 Spring St., entre Hudson et Varick St.
☎ (212) 691 13 03
www.nycfiremuseum.org
T. l. j. 10h-17h
Entrée plein tarif: $8.

Logé dans une caserne de style Beaux-Arts datant

de 1904, ce musée retrace l'histoire des pompiers de New York, des brigades des seaux de La Nouvelle-Amsterdam aux équipements high-tech d'aujourd'hui : casques, sirènes, pompes à vapeur, hippomobiles… Un mémorial rend hommage aux 343 pompiers qui ont péri lors des attentats du 11 septembre 2001.

❸ Louis K. Meisel Gallery★

141 Prince St., entre W Broadway et Wooster St.
☎ (212) 677 13 40
www.meiselgallery.com
Mar.-sam. 10h-18h
(sur r.-v. juil.-août).

Grand spécialiste du photoréalisme (peinture dont le réalisme reproduit la qualité d'une photo), Louis K. Meisel a une seconde passion : les pin-up américaines vintage, dont il posséderait la plus grande collection au monde. Tous les plus grands illustrateurs des années 1930 à 1960 défilent sur les murs de cette institution : Gil Elvgren, George Petty, Alberto Vargas…

❹ McNally Jackson★★★

52 Prince St., entre Lafayette St. et Mulberry St.
☎ (212) 274 11 60
www.mcnallyjackson.com
Lun.-sam. 10h-22h, dim. 10h-21h.

Faites le plein de culture dans l'une des meilleures librairies indépendantes de New York ! On y passerait des heures à feuilleter les ouvrages (dès $15) : design, graphisme, littérature américaine, voyages, livres sur le New York underground, littérature gay, magazines du monde entier…

L'atmosphère reposante se retrouve dans le petit café tapissé de pages de bouquins, avec ses livres suspendus au plafond.

❺ St Patrick's Old Cathedral★

263 Mulberry St., angle Prince St.
☎ (212) 226 80 75
oldcathedral.org
T. l. j. 8h-18h (20h dim.).

Bâtie entre 1808 et 1815, la plus ancienne église catholique de la ville fut le siège de l'archidiocèse de New York jusqu'à la construction, en 1879, de la nouvelle cathédrale St Patrick sur Fifth Ave. Refuge des immigrants irlandais au XIXᵉ s., elle est aujourd'hui fréquentée par les communautés dominicaine et chinoise (messes en espagnol et en mandarin le dim.). Martin Scorsese y fut enfant de chœur, et des scènes du *Parrain* et de *Gangs of New York* y ont été tournées. Le librettiste de Mozart, Lorenzo Da Ponte, repose dans le cimetière.

❻ Erica Weiner★★

173 Elizabeth St., entre Spring et Kenmare St.
☎ (212) 334 63 83
http://ericaweiner.com
T. l. j. 12h-19h (sur r.-v. après 19h).

Étudiante en histoire de l'art puis costumière à Broadway, c'est par passion que la *Brooklyn girl* Erika Weiner s'est lancée dans la création de bijoux (de $50 à $500). À cueillir dans cette charmante échoppe à l'ancienne : des modèles d'inspiration rétro (sautoirs XIXᵉ s. revisités), des bijoux vintage ou des boucles d'oreilles en toc à $16…

❼ Pour une pause riz au lait : Rice to Riches★

Avec son décor quasi psychédélique, Rice to Riches est l'adresse incontournable des amateurs de riz au lait. Vous n'aurez sans doute jamais vu autant de variétés ! Préparés quotidiennement et présentés dans de grands bols, pas toujours appétissants à regarder mais qui renferment pourtant des saveurs inoubliables : mangue-citron vert, tiramisu, rhum-raisins, coco…

37 Spring St., entre Mulberry St. et Mott St.
☎ (212) 274 00 08
www.ricetoriches.com
Dim.-jeu. 11h-23h, ven.-sam. 11h-1h.
Part : $8 ; topping : $1,50.

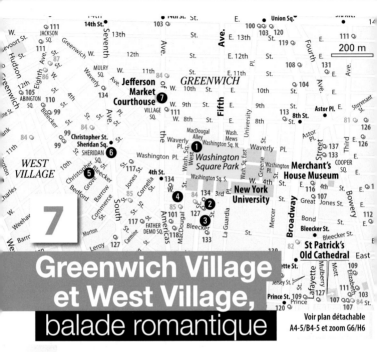

Greenwich Village et West Village,
balade romantique

Voir plan détachable
A4-5/B4-5 et zoom G6/H6

Certes, le Village n'a plus rien d'anticonformiste, mais c'est l'un des quartiers les plus charmants de Manhattan avec son architecture désordonnée. Au fil des allées étroites et arborées, des boutiques insolites et des cafés à l'ancienne, on songe aux Pollock, Burroughs, Kerouac et Dylan qui l'ont habité. Truffé de restaurants, théâtres d'avant-garde, bars et clubs de jazz, il abandonne son ambiance bohème le soir venu pour laisser place à une vie nocturne trépidante.

❶ Washington Square Park★★

C'est ici, cœur intellectuel et artistique du Village, que se retrouvent les personnages les plus insolites : danseurs de rue, joueurs d'échecs, bateleurs ou poètes. Cédé par les Hollandais aux esclaves affranchis, le terrain a ensuite servi pour les parades militaires. Un arc de triomphe rappelle aujourd'hui le premier centenaire de la présidence de George Washington (1889). Autour s'élève l'Université de New York, fondée en 1831.

❷ Chess Forum★★
219 Thompson St., entre W 3rd St. et Bleecker St.
☎ (212) 475 23 69
www.chessforum.com
T. l. j. 11h-minuit.

Si vous êtes passionné de jeu d'échecs, vous ne pourrez trouver meilleur endroit. Vous aurez la possibilité d'affronter des joueurs locaux ($5 de l'heure, gratuit pour les enfants) ou d'acheter un jeu d'échecs original ($10-$6 000) : des pièces *Super Mario*, Bauhaus, *Seigneur des Anneaux*, Camelot ou guerre de Sécession côtoient des modèles plus classiques.

❸ The Market NYC★★

159 Bleecker St., entre
Thompson St. et Sullivan St.
www.themarketnyc.com
**Mer. et dim. 12h-19h, jeu.-ven.
12h-20h, sam. 11h-20h.**

Faites un saut dans ce *pop-up
store* où s'exposent chaque
semaine de jeunes créateurs
et artistes new-yorkais.
Entre vêtements, bijoux,
accessoires et objets déco,
on peut dénicher des tee-shirts
sérigraphiés, des bonnets
tricotés à la main, des petites
robes lolitas, des colliers
vintage customisés ou de
beaux sacs en cuir. N'hésitez
pas à marchander !

❺ Grove Street
et ses alentours★★★

Dans cette charmante
rue bordée d'arbres, loin
des grandes avenues bruyantes
de la City, de jolies maisons
en bois datant du XIXᵉ s.
s'alignent les unes à côté
des autres. L'angle avec
Bedford St. est connu sous
le nom de Twin Peaks du fait
de sa double toiture. Toujours
sur Grove St., au niveau
de Hudson St., une magnifique
et minuscule allée pavée
nommée Grove Court. Autre
curiosité à découvrir, la plus
petite maison de New York
située au 75 1/2 Bedford St.
(angle Commerce St.),
dans laquelle plusieurs
célébrités auraient vécu,
dont Cary Grant.

❹ Pour une pause cinéphile gourmand :
Caffe Reggio★

L'endroit attire les touristes (des scènes du *Parrain* et des
Sopranos y ont été tournées), mais ce vieux café italien est
toujours prisé des habitants et des étudiants du quartier.

Le décor tout en boiseries
et copies de tableaux de
maîtres italiens ne semble
pas avoir bougé depuis son
ouverture en 1927. C'est
ici que fut servi le premier
cappuccino des États-Unis,
et depuis la tradition
perdue…

119 MacDougal St.,
entre W 3ʳᵈ St. et Minetta Lane
☎ (212) 475 95 57
www.cafereggio.com
**Lun.-sam. 8h-3h,
dim. 9h-3h,**
Cappuccino : $4-$5.

❻ Sheridan Square★

George Segal a érigé ici, face
au général nordiste Philip
Sheridan, deux statues de
couples homosexuels (hommes
et femmes), en l'honneur du
Gay Rights Movement.
Depuis l'émeute de 1969,
le West Village demeure l'un
des fiefs de la communauté
homosexuelle, et une *Gay
and Lesbian Pride March* y est
organisée tous les ans, au mois
de juin, pour la reconnaissance
de leurs droits (voir p. 5).

❼ Jefferson Market
Courthouse★★

425 Ave. of the Americas,
angle 10ᵗʰ St.
☎ (212) 243 43 34
www.nypl.org
**Lun. et mer. 10h-20h, mar. et jeu.
11h-18h, ven.-sam. 10h-17h**
Accès libre.

À sa construction en 1877, ce
palais de justice néogothique
victorien fut désigné comme
l'un des dix plus beaux édifices
des États-Unis. Il était assorti
d'une prison pour femmes,
et l'actrice Mae West y fut
jugée en 1927 pour atteinte
à la pudeur. Bibliothèque
depuis 1967, « Old Jeff » et
sa jolie tour à horloge a vu
défiler nombre d'écrivains et de
poètes. Un symbole du Village !

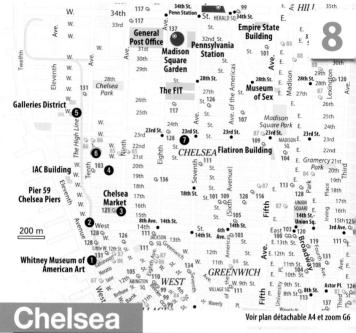

Voir plan détachable A4 et zoom G6

Chelsea
et Meatpacking District

Petites rues pavées et anciens abattoirs reconvertis en boutiques de mode, restaurants et clubs branchés, le vibrant quartier de Meatpacking offre un décalage surprenant ! Les expos du Whitney Museum et la High Line parachèvent l'image tendance de ce haut lieu de la nuit new-yorkaise. L'avant-gardiste Chelsea n'est pas en reste avec ses galeries d'art, sa scène gay et ses nombreux clubs.

❶ Whitney Museum of American Art★★★

99 Gansevoort St., angle Washington St.
☎ (212) 570 36 00
www.whitney.org
Dim.-lun. et mer. 10h30-18h, jeu.-sam. 10h30-22h
Entrée plein tarif : $22 (don libre ven. 19h-22h)
Voir « Pour en savoir plus » p. 57.

Inutile de tergiverser, ce musée consacré à l'art américain moderne et contemporain est l'un des plus excitants de

Manhattan. Surplombant la High Line, le bâtiment signé Renzo Piano abrite entre autres des œuvres d'Edward Hopper, Warhol et Lichtenstein, exposées par roulement, et livre à travers ses grandes baies vitrées des vues renversantes sur le quartier.

❷ The High Line★★★

De Gansevoort St. à 34th St.
☎ (212) 500 60 35
www.thehighline.org
Déc.-mars : t. l. j. 7h-19h ; avr.-mai et oct.-nov. : t. l. j. 7h-22h ; juin-sept. : t. l. j. 7h-23h.

En tête d'affiche des promenades insolites de la ville, ce parc suspendu à 9 m de hauteur a été aménagé sur une ancienne voie ferrée des années 1930. De Meatpacking à Chelsea, on déambule entre plantations sauvages et installations d'artistes, avec

l'impression de flotter entre les buildings ! Une balade magique au coucher du soleil avec des perspectives inédites sur la ville et l'Hudson River.

❹ Cushman Row★

406-418 W 20th St., entre 9th et 10th Ave.

Cette portion de la 20e rue nous replonge dans le Chelsea bourgeois des années 1850, avec son bel alignement *(row)* de maisons en brique de style *Greek Revival* ou néogrec. À deux blocs (19th St., angle 11th Ave.), l'IAC Building façon iceberg de Frank Gehry et la tour à facettes Vision Machine de Jean Nouvel incarnent le nouveau Chelsea, moderne et design. Un contraste étonnant !

❺ Galleries District★★

Entre 10th et 12th Ave., 19th et 29th St.
Liste des galeries et des expos : chelseagallerymap.com

Hot spot de l'art contemporain, les vieux entrepôts de Galleries District concentrent quelque 300 galeries d'art. Les vernissages ont lieu le jeudi à 18h : l'occasion de se mêler à la faune arty en sirotant un verre et de vivre une expérience 100 % new-yorkaise ! Expos de haute volée à la **Gagosian Gallery** (522 W 21st St. et 555 W

24th St.) ou **Pace Gallery** (508, 510 et 534 W 25th St.).

❻ Empire Diner★

210 10th Ave., angle 22nd St.
☎ (212) 596 75 23
www.empire-diner.com
Lun.-mer. 7h30-23h, jeu.-ven. 7h30-minuit, sam. 11h-minuit, dim. 11h-22h.

Icône de Chelsea, ce petit *diner* de 1946 est un monument historique. Immortalisé au cinéma, le sublime wagon Pullman Art déco, noir et chrome, a vu défiler moult artistes et célébrités. Fermé en 2010, il a rouvert en version, hélas, plus sophistiquée, mais rien ne vous empêche de boire un verre dans cette précieuse relique du vieux New York.

❼ Chelsea Hotel★

222 W 23rd St., entre 7th et 8th Ave.
www.chelseahotels.com
Séquence nostalgie devant l'hôtel mythique et sulfureux de la bohème new-yorkaise, hélas fermé en 2011, où séjournèrent entre autres Mark Twain, Arthur Miller, Stanley Kubrick, Bob Dylan, Jimi Hendrix et Patti Smith. Des œuvres majeures y ont vu le jour, *Sur la route* de Kerouac, *2001 : L'Odyssée de l'espace* d'Arthur C. Clarke, *Chelsea Hotel* de Leonard Cohen et le film *Chelsea Girls* de Warhol. Épisode tragique, Sid Vicious des Sex Pistols y poignarda sa petite amie Nancy en 1978.

❸ Pour une pause salée ou sucrée : Chelsea Market★★

Repaire de *foodies*, l'ancienne fabrique de biscuits Nabisco s'est métamorphosée en charmant marché couvert. Cafés, restaurants, épiceries, poissonnerie (**Lobster Place**), bar à soupes, pâtisseries (cookies d'**Eleni's**, p. 121) et glaciers y côtoient boutiques de mode et de déco et l'**Artist & Fleas Market**, un marché de jeunes créateurs.

75 9th Ave., entre W 15th et W 16th St.
☎ (212) 652 21 10 – www.chelseamarket.com
Lun.-sam. 7h-21h, dim. 8h-20h.

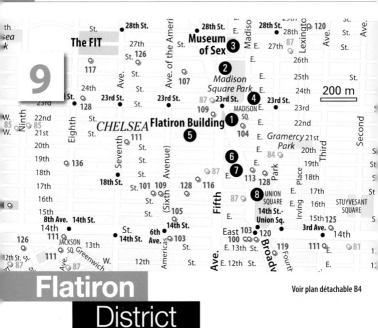

9

Voir plan détachable B4

Flatiron
District

L'un des tout premiers gratte-ciel de la ville a donné son nom au Flatiron District,
qui marque la frontière entre Downtown et Midtown. À deux pas des petits squares
tranquilles cernés de maisons bourgeoises (Gramercy Park), la frénésie new-yorkaise
reprend ses droits. Trottoirs encombrés de passants, profusion de magasins sur les
grandes avenues et foule bigarrée à Union Square, c'est aussi le rendez-vous des
artistes de rue, des joueurs d'échecs et du farmers market préféré des New-Yorkais !

❶ Flatiron Building★★★

175 5ᵉ Ave., angle Broadway
Ne se visite pas.
Construit en 1902 par Daniel
Burnham, membre de l'école de
Chicago, le Fuller Building (du
nom des premiers propriétaires)
fut l'un des premiers gratte-ciel
de New York. S'il n'a jamais été
le plus haut avec ses 21 étages,
l'immeuble de style Beaux-Arts
était très original et novateur
pour l'époque. Sa forme en fer
à repasser, qui lui a valu
le surnom de Flatiron, et
l'étroitesse de sa proue (2 m)
fascinent toujours autant.

Une vitrine où sont exposées
des œuvres d'art prolonge
la pointe du bâtiment.

❷ Madison Square Park★★

5ᵉ Ave., entre 23ʳᵈ et 26ᵗʰ St.
www.madisonsquarepark.org
T. l. j. 6h-minuit.

Avec le Flatiron Building
en arrière-plan, ce ravissant
petit parc est agréable pour
faire une pause et observer
les New-Yorkais : hommes
d'affaires, jeunes mamans
et leur progéniture, poètes
en quête d'inspiration et
amateurs de yoga composent

un joyeux mélange. Au sud, le kiosque de **Shake Shack** est pris d'assaut pour ses cheeseburgers inoubliables (voir encadré).

③ Museum of Sex★

233 5th Ave., angle E 27th St.
☎ (212) 689 63 37
www.museumofsex.com
Dim.-jeu. 10h-20h,
ven.-sam. 10h-21h
Entrée plein tarif : $17,50 + taxe.

Vous pourrez aller jeter un œil aux expositions temporaires axées sur l'histoire, l'évolution et la portée culturelle des pratiques sexuelles, acheter des gadgets sexy et rigolos (à partir de $35) ou vous faire concocter un élixir d'amour au bar.

⑤ Abracadabra★★

19 W 21st St., entre 6th et 5th Ave.
☎ (212) 627 51 94
www.abracadabranyc.com
Lun.-sam. 11h-19h, dim. 12h-17h.

À mi-chemin entre la caverne d'Ali Baba, le manoir de conte de fées et le musée fantastique, Abracadabra vous fera tantôt rire, tantôt frissonner. Des farces et attrapes et des gadgets, mais surtout quantité de monstres, sorcières et morts vivants tout droit sortis de films d'horreur ! Le propriétaire du magasin récupère ces étranges créatures sur des tournages et des fêtes foraines !

⑥ Fishs Eddy★★

889 Broadway, angle 19th St.
☎ (212) 420 90 20
www.fishseddy.com
Lun.-jeu. 9h-21h, ven.-sam. 9h-22h, dim. 10h-20h.

Un décor de vieille ferme de Nouvelle-Angleterre donne à Fishs Eddy une atmosphère de campagne au cœur de Manhattan. Sur fond de musique des années 1940 et 1950, des piles d'assiettes au décor rétro (à partir de $8,99) vous accueillent : le magasin est spécialisé dans le rachat de la vaisselle d'hôtels, clubs, collèges. Des modèles exclusifs, mais aussi très rigolos (salière-poivrière Brooklyn $14,95). Le stock est constamment renouvelé. Une bonne adresse pour donner une touche U. S. originale à votre table.

⑦ Ladies' Mile★

Au XIXe s., Broadway, entre Madison Square et Union Square, était surnommé « Ladies' Mile ». L'artère la plus courue d'Amérique alignait théâtres, music-halls et grands magasins de luxe où les élégantes dépensaient des fortunes. Refuges de nouvelles enseignes, les bâtiments aux façades ornementées rappellent cet âge d'or, comme l'ancien magasin **Lord & Taylor** (no 901, angle 20th St.). Beaux buildings aussi sur 5th Ave. et Ave. of the Americas à la clientèle plus *middle class*.

⑧ Union Square Greenmarket★★

Union Square sur Broadway et E 17th St.
www.grownyc.org/unionsquaregreenmarket
Lun., mer. et ven.-sam. 8h-18h.

Repaire de grands chefs new-yorkais et de locavores, le plus célèbre des marchés fermiers a lancé en pionnier le *local food movement* en 1976. Plus d'une centaine de fermiers urbains de Brooklyn et de petits producteurs de la vallée de l'Hudson y vendent leurs produits artisanaux : miel, confitures, pâtisseries, vins, fruits, légumes, pains, fleurs…

④ Pour une pause burger : Shake Shack★★★

Joignez-vous à la file des gourmands qui se pressent devant le kiosque de Shake Shack planté au sud de Madison Square Park. On y mange de délicieux burgers bio ($5,19-$9,49 ; les meilleurs de New York !), hot dogs, frites, glaces et milk-shakes dans une ambiance de guinguette. Shake Shack a essaimé plusieurs fast-foods dans Manhattan, mais l'expérience sera moins sympa (voir p. 88).

Madison Square Park, angle 23rd St.
☎ (212) 889 66 00 – www.shakeshack.com
T. l. j. 11h-23h.

10

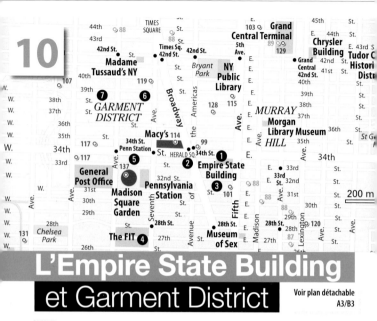

L'Empire State Building
et Garment District

Voir plan détachable
A3/B3

Grimpez au sommet du gratte-ciel le plus mythique des États-Unis, faites l'inventaire du plus grand magasin du monde, offrez-vous une pause exotique à Koreatown ou à Garment District, l'ancien quartier de la confection, hérissé de *skyscrapers* Art déco, aujourd'hui épicentre de la mode internationale avec ses maisons de couture et ses trottoirs encombrés de chariots de vêtements.

❶ Empire State Building ★★★

350 5th Ave., angle 34th St.
☎ (212) 736 31 00
www.esbnyc.com
T. l. j. 8h-2h (dernier ascenseur à 1h15)
Entrée plein tarif : Main Deck (86e ét.) $32 (coupe-file : $55) ; Main Deck et Top Deck (102e ét.) $52 (coupe-file : $75)
Résa en ligne recommandée
Voir « Pour en savoir plus » p. 58.

L'« Empire » n'est pas le gratte-ciel le plus haut du monde, mais il est toujours aussi prestigieux. Construit en moins de deux ans au début de la crise des années 1930, haut de 381 m (sans l'antenne), il compte

102 étages. Le meilleur moment pour une visite est sûrement un soir de beau temps, lorsque le soleil se couche dans le brouillard du New Jersey et

que les lumières de New York scintillent (saxophoniste jeu.-sam. 21h-1h). La queue la plus longue est au deuxième niveau, où vous devez attendre un ascenseur qui vous mènera au 86e étage (observatoire du 102e pas indispensable). Prenez votre mal en patience, la vue en vaut la peine !

❷ Herald Square ★

Ce carrefour bouillonnant draine le flot des *shoppers* vers l'historique Macy's (voir p. 114) et les grandes enseignes Victoria's Secret (voir p. 99), Gap, Urban Outfitters ou H&M. Le petit square, idéal pour une pause, abrite l'horloge qui coiffait les bureaux du *New York Herald*, le célèbre journal à sensations qui a donné son nom à la place. Difficile d'imaginer qu'il y a plus d'un siècle le quartier fourmillait de cabarets et de maisons closes…

❸ Koreatown★★

Autour de 32nd St. (Korea Way), entre Broadway et 5th Ave.

Fief de la communauté coréenne, Koreatown – ou Little Korea – rappelle un peu Chinatown, en plus moderne et plus petit, avec son lot d'enseignes scintillantes, de petits restos pas chers, de supérettes exotiques, de karaokés kitsch et de salons de beauté. Une bonne option pour déjeuner bon marché dans le quartier et un dépaysement garanti à deux pas d'Herald Square.

❹ The Museum at FIT★★

7th Ave., angle W 27th St.
☎ (212) 217 45 58
www.fitnyc.edu/museum
Mar.-ven. 12h-20h, sam. 10h-17h
Accès libre.

Le Fashion Institute of Technology (FIT) possède la plus grande collection de tissus et de costumes au monde. Son musée est entièrement consacré à la mode et à son histoire. Au fil des expositions temporaires, vous apprendrez les fondements principaux des grandes industries de mode et découvrirez les différentes influences ethniques. Certains travaux de jeunes créateurs très prometteurs sont également exposés.

❻ Garment District★

Entre 9th Ave. et Broadway, 34th St. et 42nd St.
www.garmentdistrictnyc.com

Dès les années 1920, le quartier se couvre de gratte-ciel pour abriter l'industrie textile, jusque-là confinée aux logements insalubres de Lower East Side et aux lofts de SoHo. Les anciennes usines de confection abritent aujourd'hui studios de créateurs (Donna Karan, Calvin Klein…), commerces de gros et de détail, et merceries. Sur 7th Ave., rebaptisée Fashion Avenue, le *Fashion Walk of Fame* rend hommage aux grands créateurs américains.

❼ Nepenthes New York★★

307 W 38th St., entre 8th et 9th Ave.
☎ (212) 643 95 40
www.nepenthesny.com
Lun.-sam. 12h-19h, dim. 12h-17h.

Les New-Yorkais branchés ne jurent que par Nepenthes, quintessence du style cool, urbain et stylé. La marque japonaise Needles y rencontre le label new-yorkais Engineered Garments, dont les collections sont fabriquées ici même, à Garment District : chinos inspirés de treillis militaires, vestes cintrées en tweed, trench-coat à capuche, chemises denim, à carreaux ou à fleurs (à partir de $150).

❺ Pour une pause pop-corn : Garrett★

Avec plus de soixante ans d'expérience, Garrett est la référence du pop-corn (importé de Chicago). Envie de sucré ? Choisissez le Caramel Crisp (variété aux amandes, noix de pécan, noix de cajou ou noix de macadamia). Plutôt salé ? Le Cheese Corn (cheddar) est fait pour vous. Et pour les plus aventureux, le Chicago Mix mélange les deux (env. $5 le petit sachet).

242 W 34th St., entre 7th et 8th Ave.
www.garrettpopcorn.com
☎ (888) 476 72 67 (service consommateurs)
Lun.-jeu. 10h-21h, ven.-sam. 10h-22h, dim. 10h-17h.

Voir plan détachable A2-3/B2-3

Midtown West, de Times Square à Fifth Avenue

Préparez-vous au bain de foule dans ce quartier de légende ! Entre les enseignes des théâtres de Broadway et les écrans géants de Times Square, vous ne saurez plus où donner de la tête. Laissez-vous happer par l'effervescence de la Cinquième Avenue, ses magasins de luxe et *departments stores* légendaires, entre les fabuleuses collections du MoMA et les vitrines étincelantes de Diamond Row...

❶ Times Square★★★

Broadway, entre W 42nd St.
et W 47th St.
www.timessquarenyc.org

Avec sa profusion de *billboards* projetant publicités, émissions de télévision et animations, le carrefour du monde est encore plus féerique de nuit : postez-vous en haut des escaliers rouges du kiosque TKTS (voir p. 136) et profitez du spectacle ! Dans les années 1920, on le surnommait le Great White Way (l'avenue blanche) tant les enseignes électriques des théâtres et music-halls brillaient de milliers d'ampoules blanches. Depuis le nettoyage des années 1990, les *peep-show* ont laissé place aux temples de la consommation : Disney Store, Planet Hollywood, Hard Rock Café, M&M's World...

❷ One Times Square★

47th St., entre Broadway et 7th Ave.
Ancien QG du journal *New York Times*, qui a donné son nom au quartier, ce gratte-ciel couvert de panneaux publicitaires est le plus célèbre de Times Square. Son inauguration, le 31 décembre 1904, donna lieu à un feu d'artifice grandiose. Depuis, les New-Yorkais s'y retrouvent pour le décompte du Nouvel An. Le *New York Times* occupe aujourd'hui une tour de Renzo Piano à l'habillage métallique spectaculaire à l'angle de 8th Ave. et 41st St.

❸ Madame Tussauds New York★★

234 W 42nd St., entre 7th et 8th Ave.
☎ 1 866 841 3505
www.madametussauds.com
Dim.-jeu. 10h-20h,
ven.-sam. 10h-22h
(fin mai-début sept. : t. l. j. 9h-22h)
Entrée plein tarif : $37 (hors taxe ; -20 % si achat en ligne).

Le fameux musée de cire londonien version *Big Apple* propose différents tableaux. Parmi eux, l'*Opening Night Party* met en scène des stars américaines (Angelina Jolie, Leonardo Di Caprio, Johnny Depp...) lors d'un cocktail. Vous pourrez aussi poser avec Marilyn Monroe et Woody Allen dans *The Spirit of New York*, avec Lady Gaga dans la *Music Room*,

ou avec Barack Obama derrière le bureau ovale. Sans oublier l'expérience ciné en 4D avec les super-héros de Marvel !

❹ Theater District★★

Entre 41st et 53rd St., 6th et 8th Ave.
Visite guidée Walkin'Broadway : résa au ☎ (212) 997 50 04 ou sur www.walkinbroadway.com
T. l. j. à 9h30, 11h30 et 14h
Départ : The Actor's Chapel (239 W 49th St., entre Broadway et 8th Ave.)
Tarif adulte : $30.

New York sous les feux de la rampe ! Illuminé d'enseignes clinquantes, le quartier des théâtres réunit une quarantaine de salles prestigieuses où sont donnés les fameux *Broadway shows* (voir p. 136 et 138). Si vous êtes fan de comédies musicales, découvrez les coulisses de Broadway au fil d'une visite audioguidée et accompagnée de Walkin'

Broadway. Vous ne résisterez pas à l'envie de danser !

❺ Toys'R'Us★★

1514 Broadway, angle 44th St.
☎ (646) 366 88 00
www.toysrustimessquare.com
Dim.-jeu. 10h-22h,
ven. 10h-23h, sam. 9h-23h.

Cette chaîne est présente en Europe, mais rien ne vaut une visite dans le gigantesque magasin en plein cœur de Times Square (attention, jusqu'à la fin 2016 seulement, le magasin devant ensuite déménager – mais toujours dans Midtown). Que ce soit devant la grande roue composée de quatorze voitures à l'effigie de jouets et personnages favoris des enfants, la maison de Barbie taille réelle ou le dinosaure rugissant de *Jurassic Park* haut de 6 m et long de plus de 10 m, vous serez sûrement admiratif !

❻ Pour une pause en chanson : Ellen's Stardust Diner★

Pour profiter d'un mini-*Browdway show* gratuit, entrez dans ce célèbre *diner* (sandwichs et salades env. $15) où les serveurs poussent la chansonnette dans un décor typique des années 1950. Vous découvrirez peut-être les futures étoiles de Broadway tout en grignotant vos *crispy wings* ! L'adresse est très touristique et sans réservation, alors attendez-vous à faire la queue.

1650 Broadway, angle 51st St.
☎ (212) 956 51 51
www.ellensstardustdiner.com
Dim.-jeu. 7h-minuit, ven.-sam. 7h-1h.

❼ Radio City Music Hall★★

1260 6th Ave., entre W 50th et W 51st St.
☎ **(212) 247 47 77**
www.radiocity.com
Visite guidée : $26,95,
t. l. j. 10h-17h (ttes les 30 min).

Parmi les lieux légendaires de Midtown, ce superbe cinéma Art déco de 6 000 places, inauguré en 1932 en présence de Clark Gable et Charlie Chaplin, s'est reconverti en salle de spectacle : concerts et shows populaires, soirée des Grammy Awards… Les Rockettes et leur célèbre jeté de jambes créent chaque année l'événement au moment de Noël : le *Christmas Spectacular* est suivi par un million de téléspectateurs.

❽ Rockefeller Center★★★

30 Rockefeller Plaza, de W 48th St. à W 51st St., entre 5th et 6th Ave.
☎ **(212) 588 86 01**
www.rockefellercenter.com
T. l. j. 7h-minuit
• **Visite guidée du Rockefeller Center :** ☎ **(212) 698 20 00,**
www.topoftherocknyc.com,
t. l. j. 10h-19h30 (ttes les 30 min sf 18h et 18h30), $20
• **Visite guidée des studios NBC :**
www.thetouratnbcstudios.com

Financé par John D. Rockefeller Jr pendant la Grande Dépression des années

1930, l'immense complexe de bureaux, de commerces et de loisirs (le premier d'Amérique !) regroupe 18 buildings et une galerie marchande souterraine. Il aura fallu 40 000 ouvriers pour ériger cette « ville dans la ville » ! Au centre, le GE Building, chef-d'œuvre Art déco, abrite les studios de la chaîne NBC et l'observatoire Top of the Rock. En hiver, la patinoire et le sapin de Noël attirent les foules sur Rockefeller Plaza, ornée de la célèbre statue de Prométhée.

❾ Top of the Rock★★★

30 Rockefeller Plaza, entrée 50th St.
☎ **(212) 698 20 00**
www.topoftherocknyc.com
T. l. j. 8h-minuit
(dernier ascenseur à 23h)
Entrée plein tarif : $29.
À faire absolument ! La plateforme d'observation du Rockefeller Center (70e ét.) offre sur la ville un panorama à couper le souffle avec une vue plongeante sur Central Park (ce n'est pas le cas depuis l'Empire State). Tout aussi spectaculaire, l'ascenseur au plafond transparent donne une sensation de vertige inversé ! Séance de photo-montage en option pour reproduire le célèbre cliché des ouvriers du Rockefeller déjeunant sur une poutre dans le vide.

❿ Diamond District★

47th St., entre 5th et 6th Ave.
diamonddistrict.org
Le plus grand marché aux diamants du monde ! 90 % des diamants arrivant sur le sol américain passent par le quartier des diamantaires, où ils sont taillés et revendus. Créateurs, artisans, revendeurs, cette portion de 47th St. concentre quelque 2 600 enseignes liées à la bijouterie de luxe. Un déferlement de pierres précieuses, perles, bijoux en or ou en platine, et de pièces vintage.

⓫ New York Public Library★★

5th Ave., niveau W 42nd St.
☎ **(917) 275 69 75**
www.nypl.org
Lun. et jeu.-sam. 10h-18h,
mar.-mer. 10h-20h, dim. 13h-17h
Accès libre.

Deux grands lions veillent sur la plus importante bibliothèque publique du pays après celle du Congrès de Washington DC. Inauguré en 1911, ce chef-d'œuvre de la période Beaux-Arts abrite la sublime Reading Room, où l'on peut consulter l'un des onze millions d'ouvrages. Parmi les trésors, une copie de la Déclaration d'indépendance signée de la main de Jefferson.

⑫ Pour une pause au vert : Bryant Park★★★

Faites comme les étudiants de la Public Library voisine et profitez des pelouses, cafés et kiosques gourmands de Bryant Park, véritable concentré de vie new-yorkaise ! Pour se détendre, coins lecture et jeux de société, boulodrome, ping-pong, carrousel, films et spectacles en été, patinoire en hiver. Tout autour, un bel échantillon de buildings, dont l'American Radiator Building (1924), bijou Art déco noir et or (40th St.).
Entre 40th et 42th St., 5th et 6th Ave. – www.bryantpark.org
Oct.-mai : t. l. j. 7h-22h ; juin-sept. : t. l. j. 7h-minuit (23h sam.-dim.).

⑬ St Patrick's Cathedral★★

5th Ave., entre E 50th et E 51st St.
☎ (212) 753 22 61
www.saintpatrickscathedral.org
T. l. j. 7h-20h30
Visites guidées gratuites (voir calendrier sur le site).

La plus célèbre église de New York est aussi la plus grande cathédrale catholique des États-Unis ! Œuvre de James Renwick, son architecture néogothique (elle fut achevée en 1878) rappelle celle des cathédrales européennes. La plupart des vitraux ont été réalisés par des artisans de Chartres et de Nantes.

⑭ Museum of Modern Art (MoMA)★★★

11 W 53rd St., entre 5th et 6th Ave.
☎ (212) 708 94 00
www.moma.org
T. l. j. 10h30-17h30 (20h ven.),
f. Thanksgiving et Noël
Entrée plein tarif : $25

(gratuit ven. 16h-20h)
Voir « Pour en savoir plus » p. 59.
Le Museum of Modern Art, simplement appelé MoMA, est l'un des plus beaux musées de la ville ! Il regroupe un large éventail d'art moderne et contemporain avec près de 100 000 œuvres et des artistes comme Miró, Picasso, Matisse, Van Gogh pour la peinture, Giacometti pour la sculpture, Rodtchenko pour la photographie… Tous les plus grands sont exposés ici.

⑮ Tiffany & Co.★★

757 5th Ave., angle E 57th St.
☎ (212) 755 80 00
www.tiffany.com
Lun.-sam. 10h-19h, dim. 12h-18h.

La boutique d'articles de luxe ouverte par Charles Lewis Tiffany en 1837 entre dans la légende avec son fils, Louis Comfort Tiffany, créateur de lampes et de sensationnels bijoux Art nouveau. Entre les rivières de diamants et les créations d'Elsa Peretti, Paloma Picasso ou Franck Gehry, des bijoux à moins de $150 si vous rêvez de repartir avec la fameuse petite boîte bleue. Et rien ne vous empêche de jouer les Audrey Hepburn dans *Breakfast at Tiffany's* !

⑯ Apple Store★

767 5th Ave., angle 58th St.
☎ (212) 336 14 40
www.apple.com
T. l. j. 24h/24.

De tous les Apple Store qui ont fleuri dans la Big Apple, celui de 5th Avenue est le plus célèbre. Les images des files immenses de fans qui se forment à chaque sortie d'un nouveau produit ont fait le tour de la planète. Signalé par un grand cube vitré dans lequel flotte la pomme blanche, le magasin en sous-sol abrite toute la gamme d'iPod, iPhone, iPad, MacBook et Apple Watch.

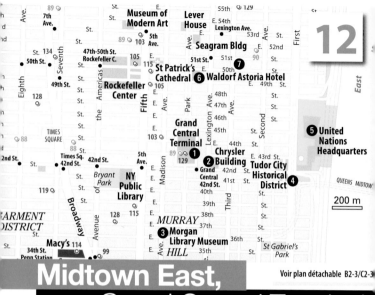

Voir plan détachable B2-3/C2-3

Midtown East,
vers Grand Central Terminal

Cette portion de Midtown East fourmille de lieux emblématiques. La plus ancienne gare de New York y côtoie quelques-uns des plus beaux gratte-ciel Art déco de la ville, dont les merveilleux Chrysler Building et General Electric Building, mais aussi des hôtels de luxe historiques, des résidences aux airs de petit palais et des tours de verre années 1950, dont Seagram Building, Lever House et l'imposant building de l'ONU signé Le Corbusier. Une balade en or pour les mordus d'architecture !

❶ Grand Central Terminal★★★

E 42nd St., angle Park Ave.
Infos et résa :
www.grandcentralterminal.com
• Visite audioguidée (guichet du Grand Hall) : t. l. j. 9h-18h, $9
• Visite guidée (guichet du Grand Hall) : ☎ (212) 935 39 60, www.mas.org/tours, t. l. j. à 12h30, $20
• Marché : lun.-ven. 7h-21h, sam. 10h-19h, dim. 11h-18h.

Ouverte en 1913, la gare de Grand Central est un petit bijou d'architecture Beaux-Arts que l'on ne pense pas toujours à visiter. Le Grand Hall, avec sa peinture au plafond

représentant la constellation du zodiaque d'hiver, est très impressionnant. Ses galeries abritent des boutiques, le Grand Central Market, très apprécié des New-Yorkais, et des restaurants. Au sous-sol, le mythique Grand Oyster Bar (voir p. 90) côtoie les fast-foods du Dining Concourse (Shake Shack, Two Boots Pizzeria…).

❷ Chrysler Building★★★

405 Lexington Ave., angle 42nd St.
☎ (212) 682 30 70
Accès libre, dans le hall,
lun.-ven. 8h-18h.

Conçu par l'architecte William Van Alen et construit entre 1928 et 1930, il devint le building le plus haut du monde (320 m) jusqu'à ce que l'Empire State vienne le détrôner un an plus tard. Véritable chef-d'œuvre de style Art déco, le Chrysler Building est commandé par la célèbre entreprise américaine d'automobiles du même nom. La partie supérieure, avec sa flèche haute de 30 m, symbolise toute la beauté et la puissance de l'œuvre.

Ce quartier fait partie des curiosités de New York. Conçu entre 1925 et 1929, il doit son nom au style architectural de la dynastie anglaise des Tudors (1485-1603). Ces douze immeubles, bâtis autour d'un charmant jardin, donnent l'impression d'être dans un palace de Hampton Court en Angleterre ! Considéré comme une « ville dans la ville », Tudor City est un petit havre de paix.

Plein tarif : $18 (+ $2 de com.), interdit moins de 5 ans.
Achevé en 1952, le quartier général des Nations unies est composé de plusieurs bâtiments, dont une magistrale tour vitrée : la Secretariat Tower. La visite guidée offre l'occasion de découvrir des lieux aussi mythiques que le General Assembly Hall. Des expositions thématiques sur des sujets sensibles sont présentées, ainsi que divers objets d'art venus des différents pays membres de l'Organisation.

⑥ Waldorf Astoria Hotel★★

301 Park Ave., entre E 49th et E 50th St.
☎ (212) 355 30 00
www.waldorfnewyork.com

Il faut pénétrer dans le hall de cet hôtel légendaire inauguré en 1931, magnifique témoignage de l'Art déco new-yorkais. De nombreux films y ont été tournés ainsi que des scènes des séries *Mad Men* et *Gossip Girl*. Pour les accros, une visite guidée avec lunch au restaurant Oscar's est proposée tous les jeudis et samedis à 10h30 (résa au ☎ (212) 872 12 75, $65 hors taxes).

③ Morgan Library & Museum★★

225 Madison Ave., angle 36th St.
☎ (212) 685 00 08
www.themorgan.org
Mar.-jeu. 10h30-17h, ven. 10h30-21h, sam. 10h-18h, dim. 11h-18h
Entrée plein tarif : $18 (gratuit ven. 19h-21h).
Agrandi en 2006 par R. Piano, ce palais néo-Renaissance a été construit en 1902 pour le banquier John Pierpont Morgan afin d'abriter sa précieuse collection de livres rares (papyrus égyptiens, manuscrits enluminés, imprimés Renaissance…) et d'œuvres d'art (dessins et gravures de maîtres), exposés par roulement. Clou de la visite, la bibliothèque (East Room) renferme la Bible de Gutenberg de 1455 et des partitions originales de Mozart.

④ Tudor City Historical District★

D'E 40th à E 43rd St., entre 1st et 2nd Ave.

⑤ United Nations Headquarters★★★

Entrée visiteurs 1st Ave., niveau 46th St. (43rd St. le w.-e.)
☎ (212) 963 86 87
http://visit.un.org
• Visitor Center : lun.-ven. 9h-16h30, sam.-dim. 10h-16h30
• Visite guidée (résa en ligne uniquement, existe en français) : lun.-ven. env. 9h30-16h30 env., arriver 45 min en avance pour le contrôle de sécurité

⑦ Pour une pause bagel : Ess-a-Bagel★★

Voici une excellente adresse pour découvrir et déguster les bagels, ces petits pains ronds si célèbres ici ! Plusieurs saveurs vous sont proposées : nature *(plain)*, complet, cannelle et raisins, sésame, graines de pavot *(poppy seed)* ou oignons… Pas moins de douze variétés qu'il est possible de manger sur place ou à emporter. Idéal en sandwich avec le célèbre *cream cheese*-saumon *(nova scotia)* ou avec des mariages plus inattendus comme olive-tofu. Un régal !

831 3rd Ave., angle E 51st St.
☎ (212) 980 10 10 – www.ess-a-bagel.com
Lun.-ven. 6h-21h, sam.-dim. 6h-17h
Bagel nature : $1,25 ; $1,75-$17 selon la garniture.

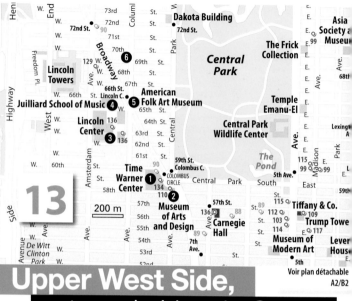

W. End
Hen
W. 72nd St. 90
72nd
73rd St.
W. 72nd
71st St.
Columbi St.
W. St.
Dakota Building
72nd St.
Broadway
70th St.
129 6 69th St.
Park
Lincoln Towers
W. 68th St.
W. 66th St. Lincoln C.
Juilliard School of Music 4 5
West
W. 66th St.
American Folk Art Museum
67th St.
65th St.
Central Park
The Frick Collection
Ave.
68th
E.
E.
E.
E. 99
E.
E.
E.
E.
Asia Society a Museu
W. 64th St.
Lincoln Center 136
3 136
W. 63rd St.
W. 62nd St.
Central
Temple Emanu-El
Central Park Wildlife Center
Lexing
A
Park
61st St.
Madison
Freedom Pl.
Highway
Amsterdam
West
110
Time Warner Center 1
59th St.
Columbus C.
COLUMBUS CIRCLE
Central Park
South
The Pond
5th Ave.
E.
115 99 99 E. L
E.
59th
W. 60th St.
Side
13
W. 58th St.
200 m
57th St.
Museum of Arts and Design 2
134
90
56th St.
136
89 88
57th St.
St. 89
115
112
103
114
5th Ave.
E.
East
Tiffany & Co.
109
Trump Towe
117
Ave.
De Witt Clinton Park
W.
W. 54th St.
W. 55th St.
Carnegie Hall
7th Ave.
St.
Museum of Modern Art
E.
Lever Hous
53rd St.
52nd
5th

Voir plan détachable
A2/B2

Upper West Side,
autour du Lincoln Center

Chic sans être guindé, ce quartier souvent décrit comme le fief des intellectuels mêle familles aisées, stars du showbiz, musiciens, étudiants. C'est l'effervescence autour du Lincoln Center, hub artistique de New York érigé sur le quartier pauvre immortalisé par Leonard Bernstein dans *West Side Story*. À l'écart de Broadway, et de ses magasins et restaurants, les rues bordées de *brownstones* retrouvent, elles, un certain calme…

❶ Time Warner Center★★

10 Columbus Circle
☎ (212) 823 63 00
www.theshopsatcolumbus
circle.com
Lun.-sam. 10h-21h, dim. 11h-19h.

Les tours jumelles du Time Warner Center ont fait leur apparition dans le ciel new-yorkais après le 11 septembre 2001. Tout un symbole… Cette architecture de verre spectaculaire abrite les locaux

de la chaîne **CNN**, le **Dizzy's Club** (voir p. 134), l'hôtel **Mandarin Oriental** (voir p. 91), des expos d'art, des boutiques et des bars et restaurants haut de gamme. Vous pourrez luncher au *salad bar* bio de **Whole Food Market** (sous-sol), au café *Frenchy* **Bouchon Bakery** (3e ét.) ou au **Porter House** (4e ét.) pour profiter, entre carnivores, de la vue sur Central Park.

❷ Museum of Arts and Design★★★

2 Colombus Circle
☎ (212) 299 77 77
www.madmuseum.org

Mar.-mer. et sam.-dim. 10h-18h,
jeu.-ven. 10h-21h
**Entrée plein tarif : $16 (don libre
jeu-ven. 18h-21h).**

Le musée des Arts (entendez
« artisanat ») et du Design
a ouvert ses portes en 2008
au sein d'un magnifique
bâtiment face à Central Park.
Neuf niveaux comprenant
la collection permanente
(des créations en céramique,
en bois, en métal, des bijoux et
des meubles improbables, etc.),
des expositions temporaires,
un auditorium, un centre éducatif
et le **Robert**, un restaurant au
dernier étage. À voir !

③ Lincoln Center★★★

**Accueil visiteurs :
David Rubinstein Atrium
Broadway, angle 62nd St.
☎ (212) 875 54 56 (info)
www.lincolncenter.org
Lun.-ven. 8h-22h,
sam.-dim. 9h-22h
Visites guidées : ☎ (212) 875
53 50 (résa), t. l. j. 10h30-16h,
$18.**
Bâti dans les années 1960,
ce gigantesque et prestigieux
complexe culturel attire des
spectateurs du monde entier.
Il comprend, entre autres, le
Metropolitan Opera House,
l'un des opéras les plus célèbres
du monde, l'**Avery Fish Hall**,
siège du fameux orchestre
philharmonique de New York,

le **David H. Koch Theatre**, fief
du New York City Ballet et du City
Opera, et le **Lincoln Theatre**.
Profitez des concerts gratuits
au David Rubinstein Atrium
(tous les jeu. à partir de 19h30
et le 1er sam. du mois à 11h).
Cafés, boutiques et restaurants
sur le campus.

④ Juilliard School of Music★★

**155 W 65th St., entre Broadway
et Amsterdam Ave.
☎ (212) 799 50 00
www.juilliard.edu
• Box office : ☎ (212) 769 74 06
Sept.-mai : lun.-ven. 11h-18h
et 1h avant le spectacle ;
été : lun.-mer. 10h-17h.**

Fondée en 1905, cette
prestigieuse école a eu
comme étudiants des
grands noms de la musique
contemporaine, tels que
Philip Glass, et de nombreux
solistes, tels que Leonard Rose
ou Barbara Hendricks.
On y enseigne aussi la danse
et le théâtre. L'école propose
concerts et récitals gratuits,
donnés par les élèves ou
les enseignants.

⑤ American Folk Art Museum★★

**2 Lincoln Square, angle Columbus
Ave. et 66th St.
☎ (212) 595 95 33
www.folkartmuseum.org
Mar.-jeu. et sam. 11h30-19h,
ven. 12h-19h30, dim. 12h-18h
Accès libre.**
Ce musée est consacré
à l'héritage de l'art
populaire américain, dont
il témoigne à travers des objets
très variés comme des tissus,
des sculptures, des quilts
ou des peintures datant
des XVIIIe et XIXe s. Des
expositions temporaires
permettent aussi de découvrir
des artistes méconnus
du grand public.

⑥ Pour une pause *Sex and the City* : Magnolia Bakery★★

La pâtisserie rendue célèbre par les héroïnes de *Sex and the
City* invite à la pause goûter ! Dans un décor délicieusement
rétro, vous ne résisterez pas
à l'envie de croquer dans un
de leurs fameux cupcakes aux
parfums caramel, noix de coco,
banane ou chocolat ($3,25-
$4). L'adresse originelle se
situe au 401 Bleecker St.

**200 Columbus Ave.,
angle 69th St.
☎ (212) 724 81 01
www.magnoliabakery.com
Dim.-jeu. 7h30-22h,
ven.-sam. 7h30-minuit.**

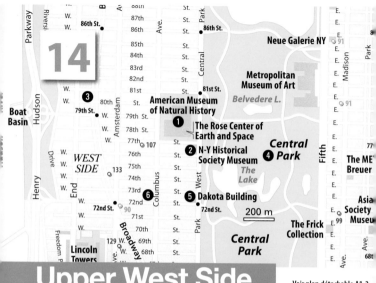

Neue Galerie NY

Metropolitan Museum of Art

Belvedere L.

14

Boat Basin

86th St.

3 79th St.

1 American Museum of Natural History

The Rose Center of Earth and Space

2 N-Y Historical Society Museum

4 Central Park

WEST SIDE

The Lake

6

5 Dakota Building

72nd St.

200 m

The Frick Collection

The ME' Breuer

Asia Society Museu'

Lincoln Towers

Central Park

Upper West Side
et Central Park

Voir plan détachable A1-2

Carte postale du vieux New York, la *skyline* de Central Park West aligne de luxueux buildings Beaux-Arts et Art déco, les fameux immeubles à tours jumelles, où nichent les célébrités. Ici, les New-Yorkais semblent prendre le temps de vivre, profitant pleinement de Central Park, le poumon vert de la ville. Aux beaux jours, les étudiants de l'université de Columbia toute proche squattent Riverside Park, au bord de l'Hudson River. Faites comme eux, prenez un verre au Boat Basin Café (niveau 79th Street)…

❶ American Museum of Natural History★★★

Central Park West, angle 79th St.
☎ (212) 769 51 00
www.amnh.org
T. l. j. 10h-17h45
Don suggéré : $22 ($35 avec expos temporaires et attractions)
Voir « Pour en savoir plus » p. 60.

C'est le plus grand musée d'Histoire naturelle au monde ! Environ 32 millions de pièces sont exposées et réparties dans plusieurs sections : biologie, anthropologie, écologie et sciences naturelles. Le plus impressionnant reste néanmoins

les nouvelles salles consacrées aux dinosaures, des spécimens remodelés grandeur nature !
À côté, **The Rose Center**

for Earth and Space est un gigantesque planétarium. Une salle de cinéma IMAX projette d'intéressants programmes sur les sciences naturelles. Également des expositions temporaires.

❷ New York Historical Society Museum★★

170 Central Park West, angle 77th St.
☎ (212) 873 34 00
www.nyhistory.org
Mar.-jeu. et sam. 10h-18h, ven. 10h-20h, dim. 11h-17h
Entrée plein tarif : $19 (don libre ven. 18h-20h).

Le Musée historique est aussi le plus vieux de New York (1804). Les expositions changent constamment, et on trouve dans les collections permanentes les fameuses lampes de Tiffany, des lithographies de la jambe de bois du gouverneur Morris, ainsi qu'une mèche de cheveux de George Washington ! Une partie du musée est consacrée à la vraie Pocahontas, popularisée par le film de Walt Disney.

❸ Zabar's★

2245 Broadway, angle 80th St.
☎ (212) 787 20 00
www.zabars.com
Lun.-ven. 8h-19h30,
sam. 8h-20h, dim. 9h-18h.

Respirez le fumet qui émane de la boutique, et vous comprendrez pourquoi la majorité des New-Yorkais considère Zabar's comme le paradis sur terre ! Tout le monde s'accorde à dire que c'est le meilleur *delicatessen* de la ville. Ne ratez surtout pas le rayon des ustensiles de cuisine : prix très abordables (dès $8) et produits d'excellente qualité. Vous trouverez aussi un café pour une dégustation sur place.

❹ Central Park★★★

• Parc : entrées au niveau de 59th St. (sud) ; 110th St. (nord) ; 60th, 65th, 72nd, 79th, 84th, 96th, 102nd St. (est) ; 66th, 72nd, 77th, 81st, 85th, 96th, 100th, 106th St. (ouest)
T. l. j. 6h-1h

• Infos touristiques : *Dairy Visitor Center* (au milieu du parc, au niveau de 65th St.)
☎ (212) 794 65 64
www.centralparknyc.org
T. l. j. 10h-17h
Voir « Pour en savoir plus » p. 61.

Avec plus de 340 ha, Central Park est la bouffée d'oxygène des New-Yorkais, qui s'y détendent et y font du sport. La terrasse du **Belvedere Castle** (face au musée d'Histoire naturelle) offre une vue imprenable sur la ville. Le **Loeb Boathouse** (au niveau de E 74th St.) permet de louer un petit bateau ou de faire un tour de gondole sur le lac. En hiver, le **Trump Rink** (au niveau de E 64th St.) se transforme en patinoire. Les nostalgiques ne manqueront pas le **Strawberry Fields** (au niveau de W 72nd St.), conçu en l'honneur de John Lennon, et les fans de Dustin Hoffman dans le film *Marathon Man* monteront jusqu'au **Reservoir** (W 86th St.) pour observer les joggers.

❺ Dakota Building★

W 72nd St., angle Central Park West.

La prestigieuse adresse aux airs de forteresse fut le premier complexe d'appartements de luxe de New York. Achevé en 1884 et filmé par Polanski dans *Rosemary's Baby*, il a compté parmi ses résidents de nombreuses célébrités : Judy Garland, Lauren Bacall, Rudolph Noureev… Il est tristement célèbre depuis l'assassinat de John Lennon devant son porche.

❻ Pour une pause *girly* : Alice's Tea Cup★★

Inspirée de l'univers d'*Alice au pays des merveilles*, cette boutique-salon de thé saura éveiller votre curiosité et attiser vos papilles. Vous ne pourrez que succomber devant l'originalité des salades et sandwichs proposés. Grand choix de thés que l'on accompagne de scones, muffins… dans une ambiance girly.

102 W 73rd St.,
angle Columbus Ave.
☎ (212) 799 30 06
www.alicesteacup.com
T. l. j. 8h-20h
Sandwich : $11-$15 ;
salade : $13-$17 ; *scone* : $4.

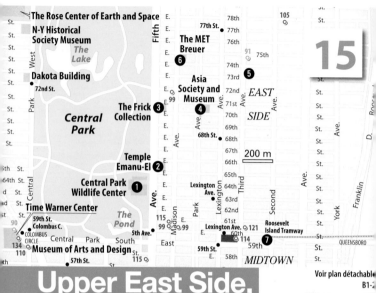

Voir plan détachable
B1-2

Upper East Side,
vers la Frick Collection

Dès les années 1880, les grandes fortunes (Astor, Vanderbilt, Carnegie…)
s'établirent dans les hôtels particuliers de 5th Avenue, l'« allée des millionnaires ».
Loin des foules, vous entrez dans le fief de l'élite new-yorkaise avec son lot de
boutiques de luxe (Madison Avenue), de *brownstones* cossues, de grooms en livrée et
de *dog-sitters* promenant des troupeaux de toutous chic. L'est de Park Avenue affiche
un visage plus populaire.

❶ Central Park Wildlife Center★★

Central Park, entrée sur 5th Ave.,
au niveau d'E 64th St.
☎ (212) 439 65 00

www.centralparkzoo.com
Avr.-oct. : lun.-ven. 10h-17h,
sam.-dim. 10h-17h30 ;
nov.-mars : t. l. j. 10h-16h30
Entrée plein tarif : 18$.

Central Park possède un minizoo
atypique. Vous y verrez des ours
polaires et des singes installés
dans des structures qui recréent
leur environnement naturel.
Juste en face, le **Tisch Children's
Zoo** accueille les animaux
de la ferme.

❷ Temple Emanu-El★★

1 E 65th St., angle 5th Ave.
☎ (212) 744 14 00

www.emanuelnyc.org
Dim.-jeu. 10h-16h30
Services : dim.-jeu. à 17h30,
ven. à 18h, sam. à 10h30.

Ce temple est la plus grande
synagogue réformée des
États-Unis. Il présente une
architecture très intéressante :
une structure d'inspiration
romane sur laquelle est
disposé un mélange de motifs
orientaux. L'intérieur vaut
lui aussi le détour. La nef,
imposante, composée
d'ornements de style byzantin,
compte plus de 2 500 places.
Plus que St Patrick's Cathedral !

❸ The Frick Collection★★★

1 E 70th St., angle 5th Ave.
☎ (212) 288 07 00
www.frick.org
Mar.-sam. 10h-18h,
dim. 11h-17h, f. j. f.
Entrée plein tarif : $20
(don libre dim. 11h-13h),
interdit moins de 10 ans
Voir « Pour en savoir plus » p. 62.

Une impressionnante collection privée d'œuvres datant de la Renaissance est soigneusement entreposée dans cette superbe demeure ayant appartenu à l'industriel Henry Clay Frick. Chaque pièce, somptueusement meublée, est décorée d'œuvres de Rembrandt, Vermeer, Whistler ou Renoir. Loin des grands musées new-yorkais, vous trouverez ici une atmosphère intimiste et raffinée. Jetez aussi un coup d'œil au charmant jardin intérieur.

❹ Asia Society and Museum★★★

725 Park Ave.,
angle E 70th St.
☎ (212) 288 64 00
www.asiasociety.org
Mar.-dim. 11h-18h
(21h ven. sf en été)
Entrée plein tarif : $12
(gratuit ven. 18h-21h en été).

Un joli petit musée dédié à l'art et à la culture asiatiques, avec notamment les formidables collections privées du philanthrope américain John D. Rockefeller III, comprenant des œuvres datant de 2 000 ans av. J.-C. jusqu'au XIXe s., venues du sud, du sud-est et de l'est de l'Asie. Également des expositions temporaires, des concerts et des spectacles de danse. Faites une pause au **Garden Court Café,** le menu y est fort alléchant !

❻ The MET Breuer★★

945 Madison Ave., angle E 75th St.
www.metmuseum.org
Ouverture début mars 2016.

Renversant de modernité avec sa façade en escalier inversé, l'audacieux bâtiment conçu par l'architecte hongrois Marcel Breuer date de 1966. Suite au déménagement du Whitney Museum à Meatpacking District en 2015, le Breuer Building devient une annexe du Metropolitan Museum of Art. Au programme, des expositions d'art moderne et contemporain et des performances.

❼ Roosevelt Island Tramway★★

Tram Plaza, angle 59th St.
et 2nd Ave.
www.rioc.com
Dim.-jeu. 6h-2h,
ven.-sam. 6h-3h30
Accessible avec la MetroCard.

Une balade originale pour le prix d'un ticket de métro ! À 76 m au-dessus de l'East River, ce téléphérique relie Manhattan à la petite île résidentielle de Roosevelt et offre des vues époustouflantes sur la ville. Mis en service en 1976 et rénové en 2010, le célèbre « tramway aérien » joue souvent les stars de cinéma (Léon, Spider-Man…). Des bus rouges permettent ensuite de faire le tour de l'île gratuitement.

❺ Pour une pause diner : EJ's Luncheonette★

Alternative aux tables guindées, voilà un agréable diner de quartier avec comptoir, tabourets et tables en formica dans le style années 1940. Breakfast et classiques de la comfort food américaine sont servis toute la journée et le brunch du week-end (7h30-15h) est très populaire : iced coffee, iced tea et foutain soda à volonté pour $2,99 pour accompagner bagels ou omelette tomate-basilic.

1271 3rd Ave., angle 73rd St.
☎ (212) 472 06 00
www.ejsluncheonette.com
Lun.-mar. et dim. 7h30-22h,
mer.-sam. 7h30-22h30
Omelettes env. $10, salades
$12-$16, sandwichs $10-$15.

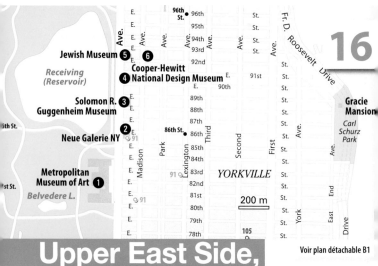

Voir plan détachable B1

Upper East Side,
le long du Museum Mile

Le très chic Upper East Side, un rien guindé, attire les visiteurs. De 82nd Street
à 105th Street, Fifth Avenue, rebaptisée « Museum Mile », aligne musées et
institutions culturelles de prestige, dont le MET et le Guggenheim sont des musts
absolus. Pour une ambiance plus populaire, cap sur East Harlem (le Spanish
Harlem aux accents portoricains), fief du Museum of the City of New York
(voir encadré p. 67) et du Museo del Barrio voisin.

❶ Metropolitan Museum of Art (MET)★★★

1000 5th Ave., angle E 82nd St.
☎ (212) 535 77 10
www.metmuseum.org

Dim.-jeu. 10h-17h30,
ven.-sam. 10h-21h
Don suggéré : $25
Voir « Pour en savoir plus » p. 64.

Soyez sélectif : les dix-huit
départements du MET

abritent environ deux millions
d'œuvres d'art, tous domaines
confondus ! La section d'art
islamique est superbe ainsi
que les 3 000 peintures
européennes ; les fans
d'égyptologie iront directement
au temple de Dendur, tandis
que les adeptes d'armurerie
seront comblés par les quelque
15 000 objets provenant
d'Europe, d'Asie et d'Amérique.
Le musée possède également
une galerie permanente sur
les arts d'Asie du Sud et du
Sud-Est. En été, allez prendre
un bol d'air sur la terrasse du
Roof Garden Café & Martini
Bar (5e ét. par l'ascenseur de

la galerie European Sculpture and Decorative Art) : la vue y est magnifique !

❷ Neue Galerie New York★★★

1048 5th Ave., angle E 86th St.
☎ (212) 628 62 00
www.neuegalerie.org
Jeu.-lun. 11h-18h
Entrée plein tarif : $20
(gratuit 1er ven. du mois 18h-20h).

Logée dans un sublime hôtel particulier de 1914, la Neue Galerie est un séduisant petit musée consacré à l'art allemand et autrichien du début du XXe s. De la Sécession viennoise au Bauhaus, elle présente des œuvres de Gustav Klimt (Portrait d'Adele Bloch-Bauer I), Egon Schiele et Oskar Kokoschka, et une collection d'arts décoratifs. Son charmant Café Sabarsky (voir p. 91) a l'atmosphère des cafés viennois du début du siècle dernier.

❸ Solomon R. Guggenheim Museum★★★

1071 5th Ave., angle E 89th St.
☎ (212) 423 35 00
www.guggenheim.org
Dim.-mer. et ven. 10h-17h45,
sam. 10h-19h45,
f. Thanksgiving et 25 déc.
Entrée plein tarif : $25
(don libre sam. 17h45-19h45)
Voir « Pour en savoir plus » p. 63.

Le bâtiment lui-même est une splendide réalisation d'architecture contemporaine. Conçu et réalisé en grande partie par Frank Lloyd Wright en 1959, le Guggenheim, tout en spirale, est un véritable temple de l'art : des impressionnistes aux minimalistes ou conceptuels des années 1960, la plupart des mouvements sont représentés (expressionnisme, cubisme, abstraction, surréalisme). La qualité de la visite dépendra des expositions en cours. Renseignez-vous sur le site Internet !

❹ Cooper-Hewitt National Design Museum★★

2 E 91st St., angle 5th Ave.
☎ (212) 849 84 00
www.cooperhewitt.org
Dim.-ven. 10h-18h, sam. 10h-21h
Entrée plein tarif : $16
(don libre sam. 18h-21h).

Des siècles de design et d'arts décoratifs du monde entier (meubles, papier peint, textiles, bijoux, costumes…) sont présentés dans l'ancien hôtel particulier (1901) du magnat de l'industrie Andrew Carnegie. Muni d'un stylo numérique (The Pen), créez votre propre collection (parmi plus de 217 000 objets !), jouez au designer et modifiez des objets

sur une table tactile, dessinez votre papier peint projeté sur un mur… Plus qu'un musée, une expérience interactive et immersive inédite !

❺ Jewish Museum★

1109 5th Ave., angle E 92nd St.
☎ (212) 423 32 00
www.thejewishmuseum.org
Ven.-mar. 11h-17h45,
jeu. 11h-20h
Entrée plein tarif : $15, (don libre jeu. 17h-20h, gratuit sam.).

Ce musée offre un large éventail de l'art juif : peintures, sculptures, tablettes cunéiformes et objets religieux rapportés pour la plupart des synagogues européennes avant la Seconde Guerre mondiale. Chaque année, le musée invite un groupe d'artistes pour mettre en place une exposition temporaire.

❻ Pour une pause goûter : Sarabeth's Kitchen★★★

Sarabeth et Bill Levine ont ouvert leur première boutique en 1981. Aujourd'hui, ils possèdent plusieurs restaurants et sont toujours très populaires auprès des New-Yorkais, grâce avant tout à leurs incomparables gâteaux (env. $9), marmelades et muffins. Bref, le paradis des palais sucrés ! Allez y prendre le petit déjeuner et goûter à leurs pancakes (env. $18), un régal !
1295 Madison Ave., angle E 92nd St.
☎ (212) 410 73 35 – www.sarabeth.com – T. l. j. 8h-22h.

Harlem
et les Heights

Voir plan détachable D2

Résidentiel et bourgeois à la fin du XIXe siècle, Harlem devient le fief de la communauté afro-américaine dès le début du XXe siècle, puis le noyau du mouvement de renouveau de la culture noire américaine, *Harlem Renaissance*. Peintres, écrivains, musiciens, tous les plus grands y ont vécu. Malgré un certain embourgeoisement, Harlem a préservé son âme avec ses *brownstones,* ses clubs de jazz, sa *soul food,* ses salons de beauté afro et ses églises aux chorales gospel extravagantes.

❶ Malcolm Shabazz Harlem Market★

52 W 116th St., angle Lenox Ave.
☎ (212) 987 8131
T. l. j. 10h-21h.

Le quartier rebaptisé Little Senegal abrite un marché d'artisanat africain où l'on peut se faire tresser les cheveux et dénicher tissus colorés, masques, statues en bois, sacs en cuir, paniers, instruments de musique et bijoux ethniques à petits prix.

❷ Studio Museum in Harlem★★

144 W 125th St., entre Lenox Ave. et Adam Clayton Powel Jr Blvd
☎ (212) 864 45 00
www.studiomuseum.org
Jeu.-ven. 12h-21h,

sam. 10h-18h, dim. 12h-18h
Don suggéré : $7 (gratuit dim.).

Voici le plus grand musée
des États-Unis consacré
uniquement à l'art noir
(Afrique, Caraïbes et Amérique).
En plus des collections
permanentes, de nombreuses
expositions temporaires sont
organisées, permettant ainsi
de faire connaître de nombreux
artistes. Un programme
intitulé *artist-in-residence*
met en avant chaque année
un nouveau talent. En sortant,
halte devant l'Apollo Theater
(voir p. 134), icône du quartier !

4 Abyssinian Baptist Church★★

132 Odell Clark Place
☎ (212) 862 74 74
www.abyssinian.org
Visiteurs admis pour le service
du dim. à 11h, sf en août
(r.-v. à l'angle de W 138th St.
et Adam Clayton Powell Jr Blvd ;
arriver tôt !).

Fondée en 1808, la plus
ancienne église noire de
New York est devenue
célèbre grâce au pasteur
Adam Clayton Powell Jr,
qui, en tant que membre
du Congrès, s'est battu pour les
droits civiques du peuple noir.
La messe du dimanche, réputée

pour son chœur de gospel, attire
de nombreux touristes (entrée
non garantie).

5 Hamilton Heights★★★

Entre W 135th et W 155th St.,
à l'ouest de St Nicholas Ave.

Ce quartier historique est
l'un des plus jolis en matière
architecturale. Allez flâner
dans les rues et ne manquez
pas le **Hamilton Grange
National Memorial** dans
St Nicholas Park (414 W 141st St.,
☎ (646) 548 23 10, www.nps.
gov/hagr, mer.-dim. 9h-17h,
gratuit), l'un des plus vieux
bâtiments de New York. Autre
curiosité, le **City College
of New York** (CCNY), qui
ressemble plus à un château
qu'à une université ! Entrée
principale par Convent Ave.

6 Columbia University★

2960 Broadway, entrée principale
116th St.
☎ (212) 854 17 54
www.columbia.edu

Fondée en 1754 et installée
depuis 1897 à Morningside
Heights, la prestigieuse
université compte 82 Prix
Nobel parmi ses anciens élèves
et professeurs. Sur les pas de
Paul Auster et Barack Obama,
rejoignez les étudiants sur les
« Steps », les marches de la *Low
Memorial Library* aux airs de
Panthéon, et goûtez à la vie d'un
authentique campus américain !

7 Cathedral of St John the Divine★

11047 Amsterdam Ave.,
angle W 112th St.
☎ (212) 316 75 40
www.stjohndivine.org
T. l. j. 7h30-18h
Don suggéré : $10 ; visite
guidée : $6
Concert d'orgue lun. à 13h ;
messe chantée dim. à 11h.

Commencé en 1892, cet
édifice néogothique inachevé
est le plus grand lieu de
culte des États-Unis. Entre
autres curiosités (Twin Towers
sculptées sur la façade,
triptyque de Keith Haring…),
on y bénit des milliers
d'animaux en octobre (en avril,
c'est au tour des vélos !). À voir
en sortant, la fontaine issue
d'un conte fantastique.

---

3 Pour une pause *soul food* : Sylvia's★

Il serait dommage de venir à Harlem sans goûter à la *soul
food*, cuisine traditionnelle des Afro-Américains du Sud. Poulet
frit, *BBQ ribs* (travers de porc),
chicken and waffle (poulet et
gaufre), *collard green* (chou
vert) et *buttered corn* (maïs
beurré) sont servis dans cette
institution de Harlem.

328 Malcolm X Blvd, entre 126th
et 127th St.
☎ (212) 996 06 60
sylviasrestaurant.com
Lun.-sam. 8h-22h, dim. 11h-20h
Plats : $11,95-$24.

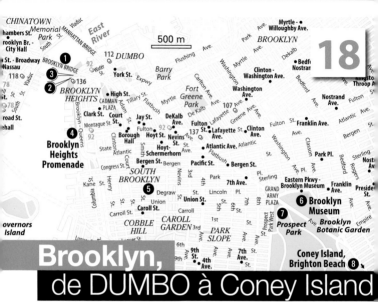

CHINATOWN
hambers St. Memorial Park So. Viaduct
MANHATTAN BRIDGE
East River
rooklyn Br. - City Hall
South St.
BROOKLYN BRIDGE
92
❶
112 DUMBO
Water St.
❸
136
❷
92
York St.
Expwy
Barry Park
Flushing Ave.
Myrtle - Willoughby Ave.
BROOKLYN
Myrtle
Park Ave.
DeKalb
Clinton - Washington Ave.
• Bedf
Nostran
St. - Broadway
Nassau
118
BROOKLYN HEIGHTS
• High St.
CADMAN PLAZA
Fort Greene Park
Washington Ave.
Bedford Ave.
Kingsto
Throop A
78
78
978
Tillary St.
Flatbush
Myrtle
De Kalb
107
Greene Ave.
Nostrand Ave.
Fulton
road St.
ehall
Clark St.
Court
Jay St.
DeKalb
Fulton
St.
Lafayette
Clinton
St.
Franklin Ave.
Atlantic Ave.
Montague St. St.
Borough Hall
Hoyt St.
Nevins
137 St.
Lafayette St.
Ave.
Bergen
BROOKLYN HEIGHTS PROMENADE
Queens
92
Fulton
State
Atlantic
Hoyt St.
Schermerhorn
Atlantic Ave. Atlantic
Washington
Classon
Park Pl.
Bedford
Sterling
Nost
Av
Congress St.
Bergen St.
Bergen
Pacific St.
Flatbush
Bergen St.
Rogers
Bergen
overnors Island
SOUTH BROOKLYN
Kane
Henry
Columbia
3rd
Park
Pl.
Sterling
Pl.
Eastern Pkwy - Brooklyn Museum
Franklin St.
Preside
St.
❺
Degraw
Union St.
Lincoln
Pl.
GRAND ARMY PLAZA
7th Ave.
4th
5th
Carroll St.
Caroll St.
Carroll
1st
6th
7th
8th
Prospect Park West
❻ Brooklyn Museum
COBBLE HILL
CAROLL GARDEN
3rd
PARK SLOPE
2nd
❼ Prospect Park
Brooklyn Botanic Garden
Empire
9th St.
6th
9th
St.
4th
Ave.
7th Ave.
St.
Coney Island, Brighton Beach ❽

500 m

18

Brooklyn,
de DUMBO à Coney Island

Voir plan détachable C6/D6
et plan rabat arrière

Le charme et la diversité de ce faubourg de New York,
rendu célèbre par tant d'écrivains, de cinéastes, de poètes
et d'artistes, vous séduiront sûrement. Du Brooklyn Heights chic au DUMBO
postindustriel (Down Under the Manhattan Bridge Overpass) en passant par le
noctambule Williamsburg (voir p. 50), la plage de Coney Island ou le Park Slope qui
rappelle le Londres victorien… Brooklyn n'a vraiment rien à envier à Manhattan !

❶ Brooklyn Bridge★★★

**Entrée sur Park Row,
à hauteur de Centre St.
Voir « Pour en savoir plus » p. 65.**

Dessiné en 1867 par John
Augustus Roebling et
achevé en 1883, ce pont
demeure depuis ce jour
un des monuments les plus
prestigieux et mythiques
de New York. Long de près
de 2 km, il offre sur Manhattan
un panorama unique. Un must !

❷ Brooklyn Bridge Park★★★

**Plusieurs parcs entre Manhattan
Bridge et Atlantic Ave.**

www.brooklynbridgepark.org
T. l. j. 6h-1h.

Plus de 1 km de jardins, pistes
cyclables et aires de jeux en
bord de fleuve pour profiter de
vues sublimes sur Manhattan !
Niché entre les deux ponts et

de vieux entrepôts de tabac, le
pittoresque Empire Fulton Ferry
Park abrite le Jane's Carousel,
un carrousel de 1922 mis sous
verre par Jean Nouvel. Au pied
de Brooklyn Bridge, Fulton Ferry
Landing et sa maison de gardien

de phare précèdent les pelouses très prisées de Pier 1 où le Squibb Park Bridge permet de relier Brooklyn Heights.

④ Brooklyn Heights Promenade★★★

Accès par Montague St. ; au-dessus de Brooklyn-Queens Expressway, accès par Columbia Heights, entre Orange et Remsen St.

Immortalisée dans *Annie Hall*, c'est au coucher du soleil la promenade romantique par excellence avec ses vues de carte postale sur le port de New York et la statue de la Liberté. À l'est, Brooklyn Heights, le plus vieux quartier de Brooklyn, essaime d'élégantes *brownstones* du XIXᵉ s., jardins fleuris et terrasses de cafés le long de rues arborées. Un charme fou et une ambiance de village !

⑤ By Brooklyn★★

261 Smith St., entre
Degraw St. et Douglass St.

☎ (718) 643 06 06
http://bybrooklyn.com
Dim.-mer. 11h-19h,
jeu.-sam. 11h-20h.

Typique du nouveau Brooklyn, celui des *farmers* urbains qui cultivent sur les toits, des écolos branchés et des locavores, cette échoppe de Caroll Gardens propose des gourmandises de producteurs locaux : pots de miel, confitures, pickles, sirops, bonbons, cookies et barres chocolatées ($10). D'autres tentations made in Brooklyn du côté des sacs, bijoux, vaisselle, papeterie et savons.

⑥ Brooklyn Museum★★

200 Eastern Parkway
☎ (718) 638 50 00
www.brooklynmuseum.org
Mer. et ven.-dim. 11h-18h
(23h1ᵉʳ sam. du mois, sf sept.),
jeu. 11h-22h
Don suggéré : $16.

Le musée d'Art de Brooklyn recèle des petits trésors, à savoir une collection sur l'Égypte ancienne riche de 4 000 pièces, ou encore quelques toiles de maîtres européens comme Monet, Degas ou Cézanne. Les expositions temporaires comptent parmi les meilleures de la ville.

⑦ Prospect Park★★

Grand Army Plaza
☎ (718) 965 89 51
www.prospectpark.org
T. l. j. 5h-1h.

Central Park version Brooklyn ! Ces 300 ha de verdure ont été aménagés par les mêmes architectes, Olmsted et Vaux, en 1867. Lacs, prairies, forêt naturelle et zoo font le bonheur des Brooklyniens dès le week-end venu. Le must est sans aucun doute le **Botanic Garden** (900 Washington Ave., ☎ (718) 623 72 00, www.bbg.org, mars-oct. : mar.-ven. 8h-18h, sam.-dim. 10h-18h, nov.-fév. : mar.-ven. 8h-16h30, sam.-dim. 10h-16h30, entrée plein tarif $12).

⑧ Coney Island et Brighton Beach★★

Au sud de Brooklyn, au bord de l'océan.

Les terminus des lignes de métro B, D, F, N, Q vous mèneront à la plage la plus populaire de New York ! Et vous pourrez même vous y baigner ! Une destination très prisée en été... Coney Island est également connue pour son parc d'attractions, aujourd'hui un peu désuet, mais qui fut entre 1880 et 1940 le plus grand parc de loisirs de tous les États-Unis ! De l'autre côté de la promenade, Brighton Beach, surnommé « Little Odessa », vous invite, avec ses boutiques et restaurants russes, à un tout autre voyage...

③ Pour une pause glace : Brooklyn Ice Cream Factory★★★

Au pied du Brooklyn Bridge, cette ancienne maison de gardien de phare en bois blanc est un repaire de gourmands. On y savoure de délicieuses glaces artisanales et 100 % naturelles, mais aussi des milk-shakes, *sundaes* et autres banana-split.

Fulton Ferry Landing Pier, angle Water et Old Fulton St.
☎ (718) 246 39 63 – www.brooklynicecreamfactory.com
T. l. j. 12h-22h ; f. lun. en hiver
Glace : 1 boule $4,50.

200 m

19

Williamsburg,
le Brooklyn branché

Voir plan détachable
D4-5

Enclave *hipster* dont l'aura rayonne dans le monde entier, Williamsburg est la quintessence même du cool. Fabriques métamorphosées en lofts, friperies, disquaires, restaurants locavores, bars bohèmes et clubs décapants… C'est plus une atmosphère que l'on vient respirer dans ses rues sans fard, débordantes de joie de vivre, d'énergie créative et de bonne musique. Pour les sorties nocturnes ou le brunch du week-end, Williamsburg est *the place to be* !

❶ Beacon's Closet★★

74 Guernsey St., entre Nassau Ave. et Norman Ave.
☎ (718) 486 08 16
www.beaconscloset.com
T. l. j. 11h-20h.

Cet entrepôt géant abrite une mine de fripes en tout genre, avec une majorité de pièces *seventies* et *eighties*. Armez-vous de patience et soyez organisé, car c'est un véritable fouillis, pas toujours très pratique, et les *hipsters* qui viennent s'y fabriquer un look branché-cool

sont des adversaires de taille. En revanche, vous y ferez de véritables affaires !

❷ Brooklyn Brewery Company★

79 N 11th St. (1 Brewers Row), entre Wythe Ave. et Berry St.
☎ (718) 486 74 22
www.brooklynbrewery.com
• Tasting Room : ven. 18h-23h, sam. 12h-20h, dim. 12h-18h
• Visite guidée : lun.-jeu. à 17h (résa sur le site), $12
• Visite gratuite ttes les 30 min, sam. 13h-17h, dim. 13h-16h.

La petite brasserie traditionnelle fondée par deux copains en 1988 exporte aujourd'hui ses bières artisanales dans le monde entier.

Une *success story* à l'américaine contée lors des visites guidées. Tous les week-ends, la foule fait la queue sur le trottoir pour déguster l'une des variétés de cette bière 100 % brooklynienne dans la Tasting Room (bière $5, 5 pour $20). Ambiance garantie !

❸ Rough Trade NYC★★

64 N 9th St., entre Kent et Wythe Ave.
☎ (718) 388 41 11
www.roughtradenyc.com
Lun.-sam. 11h-23h, dim. 11h-21h.

Référence absolue pour les amateurs de musique indé, le célèbre disquaire londonien a investi un immense entrepôt de brique de Williamsburg. Plus qu'un magasin de disques, on y trouve un rayon livres bien fourni, on peut y siroter un café, profiter du Wifi gratuit, assister à une expo ou à un concert. L'un des lieux les plus cool du quartier, à ne pas manquer !

❹ Brooklyn Industries★★★

162 Bedford Ave., angle N 8th Ave.
☎ (718) 486 64 64
www.brooklynindustries.com
Lun.-sam. 10h-21h, dim. 10h-20h.

Cette marque de sacs et de vêtements urbains made in

Brooklyn connaît un véritable succès. L'histoire a commencé avec d'originales sacoches en bandoulière facilement identifiables grâce au logo de la marque : un petit château d'eau noir, bien emblématique des toits de New York. Comptez $35 pour un tee-shirt et de $70 à $140 pour un sac.

❻ Artists & Fleas★★

70 N 7th St., entre Wythe Ave. et Kent Ave.
www.artistsandfleas.com
Sam.-dim. 10h-19h.

Tous les week-ends, cet entrepôt des années 1930 se transforme en marché ultrabranché. Entre la petite brocante et les fringues vintage, jeunes artistes et designers de Williamsburg

vendent leurs créations en direct. Un bon spot pour s'imprégner de l'ambiance du quartier, flairer les nouvelles tendances et rapporter des pièces uniques ! Filez ensuite à **East River State Park** où fleurit aux beaux jours (le dim.) le marché gourmand Smorgasburg (voir p. 121).

❼ Brooklyn Fox Lingerie★

132 N 5th St., entre Berry et Bedford Ave.
☎ (718) 599 15 55
http://brooklynfoxlingerie.com
Lun.-ven. 12h-20h, sam.-dim. 12h-19h.

Culottes hautes en satin rose poudré, bustiers pigeonnants à pois, soutiens-gorge triangle transparents, porte-jarretelles en dentelle, ensembles aux frous-frous délicats... La lingerie fine et exquise de Brooklyn Fox se pique de clins d'œil rétro, et les *Brooklyn girls* en raffolent ! Soutiens-gorge de $38 à $210.

❺ Pour une pause comme à la plage : Surf Bar★

Un petit goût d'Hawaï à Brooklyn ! Kitsch à souhait, le décor foutraque de ce petit bar fourmille de bibelots vintage, de planches de surf et de guirlandes lumineuses. Dans une ambiance *very cool*, on y sirote des cocktails exotiques ($10) les pieds dans le sable ou dans le jardin. Très agréable quand le soleil est de la partie.

139 N 6th St., entre Bedford Ave. et Berry Ave.
☎ (718) 302 44 41
T. l. j. 12h-2h
Plats : $12-$26
Happy hour : 16h-19h.

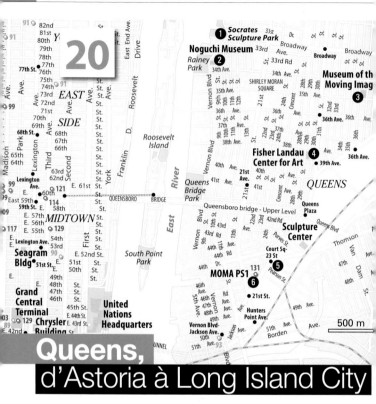

Queens,
d'Astoria à Long Island City

Voir plan rabat arrière

À l'est de Manhattan, le plus grand *borough* de la ville
réserve quelques pépites. Capitale du cinéma dans les années 1920, le quartier
cosmopolite d'Astoria attire les *foodies* avec ses restaurants grecs et ses cantines
latinos. Au sud de Queensboro Bridge, on piste le New York underground dans
le quartier industriel de Long Island City : ateliers d'artistes, street art décoiffant
et avant-garde artistique au PS1.

Se déplacer
dans le Queens

Les week-ends de mai à
sept. de 13h à 18h, service
de bus gratuit (LIC Art Bus)
qui fait la navette toutes
les heures entre Socrates
Sculpture Park, Noguchi
Museum, SculptureCenter
et MoMA PS1.

❶ Socrates Sculpture
Park★★

À l'angle de Broadway
et Vernon Blvd
☎ (718) 956 18 19
www.socratessculpturepark.org
T. l. j. de 10h à la tombée de la nuit
Accès libre.

Situé à deux pas du Noguchi
Museum, ce petit parc au
bord de l'East River offre une
pause agréable avec une vue

imprenable sur Manhattan.
Ce site est également un lieu
d'exposition où sculptures et
installations s'intègrent avec
beaucoup d'originalité dans
le paysage. À voir !

❷ Noguchi
Museum★★★

32-37 Vernon Blvd
(entrée au 9-01 33ʳᵈ Rd,
entre Vernon Blvd et 10ᵗʰ St.)

☎ (718) 204 70 88
www.noguchi.org
Mer.-ven. 10h-17h,
sam.-dim. 11h-18h
Entrée plein tarif : $10
(gratuit 1er ven. du mois).

Fondé et dessiné par l'artiste, le musée consacré à Isamu Noguchi est un havre de paix et de beauté ! Au rez-de-chaussée, vous découvrirez ses énormes sculptures de pierre aux formes géométriques. Au 1er étage, vous trouverez du mobilier et des objets design, dont les fameuses lampes de papier Akari associant la technique traditionnelle japonaise aux formes organiques de ses sculptures. À l'extérieur, un jardin aménagé par Noguchi vous remplira de sérénité...

❸ Museum of the Moving Image★★★

36-01 35th Ave., angle 36th St.
☎ (718) 777 68 88
www.movingimage.us
Mer.-jeu. 10h30-17h,
ven. 10h30-20h,
sam.-dim. 11h30-19h
Entrée plein tarif : $12
(gratuit ven. 16h-20h).

Les passionnés de cinéma et de télévision vont adorer ce musée consacré à l'histoire, aux techniques et

à la technologie du septième Art et du petit écran. En plus des expositions temporaires, vous pourrez voir des extraits de films cultes, vous essayer au doublage, découvrir des objets de tournage, ou encore créer votre film d'animation façon Terry Gilliam pour *Monty Python*.

❹ Fisher Landau Center for Art★★

38-27 30th St.,
entre 38th et 39th Ave.
☎ (718) 937 07 27
www.flcart.org
Jeu.-lun. 12h-17h
Accès libre.

Ce centre d'art contemporain présente avant tout des expositions d'œuvres majeures datant des années 1960 jusqu'à nos jours. Elles appartiennent à la collection privée d'Emily Fisher Landau, qui compte des artistes comme Donald Baechler, Alfredo Jaar, Susan Rothenberg, Donald Judd ou Kiki Smith. La programmation comprend aussi des travaux d'artistes émergents ou de jeunes diplômés d'écoles d'art.

❻ MoMA PS1★★

22-25 Jackson Ave., angle 46th Ave.
☎ (718) 784 20 84

www.momaps1.org
Jeu.-lun. 12h-18h
Don suggéré : $10.

Affilié au MoMA, le PS1 est sans doute le musée d'Art contemporain le plus avant-gardiste. Depuis sa fondation en 1971, il a pour vocation de présenter, au travers d'expositions temporaires, le travail d'artistes innovants et émergents issus de toutes les disciplines. L'intérieur du bâtiment (une ancienne école datant de 1893), laissé « brut de décoffrage », amplifie le côté underground du lieu. En été, rejoignez les fameuses *Warm Up Parties* (voir p. 131) !

❺ Pour une pause *american country* : Sage General Store★★

Pour le déjeuner, cette adresse à deux pas du PS1 sert une cuisine américaine régionale et contemporaine à base de produits frais glanés chez les fermiers locaux. Dans un décor un brin champêtre, les petits plats vous font voyager d'un bout à l'autre des États-Unis : salades California ($12) ou North Folk, sandwichs Monterey pour les *veggies* ou Pennsylvania au poulet épicé ($9), *mac & cheese, bacon brownies* et cookies géants. Bacon brunch ($29) et pizzas le week-end.

24-20 Jackson Ave., entre Pearson St. et Court Square
☎ (718) 361 07 07 – www.sagegeneralstore.com
Lun. 11h-17h, mar.-jeu. 11h-22h, ven. 11h-23h,
sam. 10h-23h, dim. 10h-16h.

La statue
de la Liberté

Dressée à l'entrée du port de New York depuis 1886, la colossale statue de cuivre est un cadeau de la France aux États-Unis commémorant le centenaire de la Déclaration d'indépendance américaine. Première vision de l'Amérique qu'avaient les immigrants débarquant à Ellis Island, *La Liberté éclairant le monde* est devenue un symbole universel des valeurs de la démocratie, inscrit au Patrimoine mondial de l'Unesco en 1984.

d'Ellis Island, du New Jersey, de la ville et du port de New York.

La couronne

À condition d'avoir réservé longtemps à l'avance et de ne pas être claustrophobe, vous pourrez vous glisser sous la robe de la dame verte et gravir les 154 marches d'un étroit escalier en colimaçon jusqu'à la couronne où 25 fenêtres offrent des vues limitées de la baie de New York et de Brooklyn. L'ascension permet d'observer de près la spectaculaire charpente métallique. Les sept rayons de la couronne symbolisent les sept mers et continents.

Miss Liberty

Conçue par Frédéric-Auguste Bartholdi avec, pour la structure métallique, le concours de Gustave Eiffel, la statue néoclassique de 225 t et de 46 m de haut se compose de 300 plaques de cuivre repoussé rivetées sur une charpente capable de résister aux vents violents de la baie. Elle doit sa couleur vert-de-gris à l'oxydation naturelle du cuivre. Achevée à Paris en 1884, elle fut démontée puis acheminée par bateau à New York pour être réassemblée en 4 mois sur un piédestal de même hauteur, conçu par l'architecte américain Richard Morris Hunt. Livrée avec 10 ans de retard, elle fut inaugurée en grande pompe le 28 octobre 1886.

Le piédestal et le musée

Logé dans le socle de granit, le Liberty Island Museum relate les étapes de construction de la statue : photos des ateliers parisiens Gaget-Gauthier, maquettes, affiches, esquisses de Bartholdi, objets publicitaires, outils. On y découvre la torche d'origine, remplacée par une réplique en 1986, et des copies en cuivre du pied et du visage qui serait celui de la mère de Bartholdi. La plateforme d'observation du piédestal (215 marches) réserve de superbes vues panoramiques

> COORDONNÉES

Voir p. 10 et p. 148.

Ferry au départ de Battery Park (B6)
Tickets à **Castle Clinton**
☎ (212) 363 32 00
www.nps.gov/stli
Résa à l'avance obligatoire pour visite piédestal ou couronne au ☎ 1 877 523 98 49 ou sur www.statuecruises.com (voir aussi p. 148)
T. l. j. 9h30-17h (horaires variables)
Ferry pour Liberty Island et Ellis Island : $18, avec couronne $21.

Ellis Island

Douze millions d'immigrants ont foulé ce petit bout de terre entre 1892 et 1954. « Île de l'Espoir » pour les uns, « Île des Larmes » pour les autres, Ellis Island et son centre d'immigration légendaire (près de la moitié de la population américaine y a ses racines !) étaient le passage obligé pour ces étrangers en quête d'une vie meilleure. Le musée vous raconte leur histoire.

Un peu d'histoire

L'île devint centre de tri en 1892, les lois d'immigration interdisant l'entrée des États-Unis aux polygames, prostituées, indigents, anarchistes, analphabètes et porteurs de maladies contagieuses. Compte tenu du nombre de personnes à examiner et du peu de médecins, l'examen médical durait environ 6 secondes. Pendant la Seconde Guerre mondiale, l'île devint un lieu de détention. Enfin, après trente ans de détérioration, des descendants d'immigrés offrirent 156 millions de dollars pour la restaurer.

Le musée

Photos, témoignages et cartes illustrent la diversité des origines du peuple américain et montrent les étapes et les formalités auxquelles se soumettaient les arrivants. La Baggage Room renferme un amas de sacs, malles et valises. Beaucoup y ont abandonné leurs objets personnels. Dans la Registry Room, les arrivants attendaient parfois des jours avant que des médecins ne les examinent (yeux, endurance, maladies…) et que l'on ne contrôle leurs papiers et leurs motivations. Les admis prenaient alors l'« escalier de la séparation » menant aux bateaux pour le New Jersey ou Manhattan. Seulement 2 % furent refoulés.

Les archives

L'*American Immigrant Wall of Honor* liste les 700 000 personnes enregistrées là, et l'*Oral History Studio* propose des enregistrements de témoignages. Enfin, l'*Ellis Island Family Immigration History Center* fournit des archives sur les millions d'immigrants qui ont foulé le sol de l'île.

L'hôpital

Le *Hard Hat Tour* offre l'occasion unique de visiter l'ancien hôpital de 750 lits : blanchisserie, quartier des malades contagieux et infectieux, cuisine, logements des employés et salle d'autopsie.

> **COORDONNÉES**

Voir p. 10 et p. 148.
Ferry au départ de Battery Park (B6)
Tickets à **Castle Clinton**
☎ (212) 363 32 00
www.nps.gov/elis
Résa au ☎ 1 877 523 98 49
ou sur www.statuecruises. com (voir aussi p. 148)
T. l. j. 9h30-17h
(horaires variables)
Une partie du musée est temporairement fermée pour travaux
Ferry pour Liberty Island et Ellis Island : $18 ; visite guidée de l'hôpital *(Hard Hat Tour)* : $25 (résa sur le site).

World Trade Center
et 9/11 Memorial

Après la disparition des Twin Towers en 2001, le site de Ground Zero n'était qu'un gigantesque et sinistre trou béant. Le nouveau World Trade Center orchestré par Daniel Libeskind a pris forme et devrait être achevé à l'horizon 2020. Il comprend cinq tours, dont le plus haut gratte-ciel d'Amérique (1 WTC), un mémorial, un musée, un complexe culturel et une gare spectaculaire signée Santiago Calatrava.

One World Trade Center (1 WTC)

D'abord baptisé *Freedom Tower*, le 1 WTC de l'architecte David Childs a été inauguré en 2014. La tour de verre à facettes ultrasécurisée culmine à 541 m, soit 1 776 pieds (année de la Déclaration d'indépendance des États-Unis). Elle est coiffée d'une flèche en spirale faisant écho à la torche de la statue de la Liberté. Sa plateforme d'observation vous propulse sur le toit de New York (voir p. 12). Les cinq tours du nouveau WTC formeront à terme une spirale décroissante autour du mémorial.

9/11 Memorial

Conçu par l'architecte Michael Arad et l'architecte-paysagiste Peter Walker, le mémorial a été inauguré lors du 10e anniversaire de la tragédie. Dans un jardin de 400 chênes blancs où a été replanté un poirier rescapé, deux bassins de 4 000 m² épousent l'empreinte des tours jumelles. Des chutes d'eau de 9 m se déversent dans le vide, symbole de celui laissé par les 2 983 victimes, originaires de 90 pays, dont les noms sont gravés sur les parapets en bronze.

9/11 Memorial Museum

Installé entre les bassins-fontaines, le musée multimédia et souterrain du mémorial s'attache aux implications des événements du 11-Septembre. Il rassemble plus de 10 000 objets, souvenirs, photos, vidéos et enregistrements de témoins, de rescapés et de victimes, et d'imposantes reliques du WTC d'origine : mur des fondations, dernière poutre retirée du site *(Last Column)*, recouverte d'inscriptions, et escalier des survivants. La poignante galerie de portraits *In Memoriam* rend hommage aux victimes des attaques terroristes de 2001 et de l'attentat à la bombe perpétré en 1993 au World Trade Center.

> COORDONNÉES

Voir p. 12
- **National 9/11 Memorial**
Accès angle Liberty et Greenwich St. (B6)
M° World Trade Center
T. l. j. 7h30-21h
Accès libre.
- **National 9/11 Memorial Museum**
☎ (212) 266 52 11
www.911memorial.org
Dim.-jeu. 9h-20h, ven.-sam. 9h-21h (dernière entrée 2h avant)
Entrée plein tarif : $24 (gratuit mar. 17h-20h), nombre limité de billets délivrés le jour même sur place.

Whitney Museum
of American Art

Regroupant la plus vaste collection mondiale d'art américain du XXe siècle, ce musée est l'un des plus enthousiasmants de la ville ! Le Whitney Museum a emménagé au printemps 2015 dans le Meatpacking District, un quartier en pleine mutation. Construit en forme d'escalier, le bâtiment blanc de verre et de béton est l'œuvre du célèbre architecte italien Renzo Piano.

Les origines

Le musée fut fondé en 1931 par la milliardaire Gertrude Vanderbilt Whitney, sculptrice et grande collectionneuse d'œuvres d'art. Après avoir essuyé un refus du Metropolitan Museum of Art pour la donation de quelque 600 œuvres d'art, elle prend le parti de les exposer dans son atelier de Greenwich Village. Quelques années plus tard, devant le succès remporté par la collection, elle crée son propre musée. Rapidement à l'étroit, le Whitney s'installe en 1966 dans l'Upper East Side, dans un bâtiment construit par Marcel Breuer selon des lignes modernistes.

Le nouveau Whitney Museum

L'architecture prend en compte l'environnement industriel en rénovation. Le Whitney dispose d'une plus grande surface d'exposition, d'un théâtre pour des projections de films et d'un centre éducatif sur l'art. Il fait la part belle à la transparence avec d'immenses baies vitrées qui permettent aux visiteurs de profiter de l'extérieur du musée tout en se trouvant à l'intérieur. Sur le toit, face à la High Line, des terrasses offrent une vue imprenable sur le quartier et ses alentours.

Les collections

Le musée détient une collection de 12 000 œuvres des plus grands peintres du XXe s. (Hopper, Kooning, Demuth, Gorky, Pollock, Warhol) et de sculpteurs (Calder, Nevelson, Noguchi, David Smith). Ne manquez surtout pas le célèbre *Circus*, de Calder, l'une des rares œuvres à être exposées en permanence. À voir également, la superbe sculpture *Tango*, d'Elie Nadelman. Une partie du musée est consacrée

aux arts cinématographiques d'avant-garde.

Edward Hopper

La collection de tableaux du peintre est l'une des plus importantes au monde. Vous y verrez *Early Sunday Morning* (1930) et *A Woman in the Sun* (1961), dans lesquels les lieux publics reflètent solitude et incommunicabilité. Le musée présente aussi les nouvelles tendances de l'art américain à l'occasion de ses expositions biennales. Les artistes en vogue les plus prometteurs y participent. Ces expositions novatrices et osées sont très controversées dans le monde de l'art.

> COORDONNÉES

Voir p. 26
99 Gansevoort St., angle Washington St. (A4)
☎ (212) 570 36 00
www.whitney.org
Dim.-lun. et mer. 10h30-18h, jeu.-sam. 10h30-22h
Entrée plein tarif : $22 (don libre ven. 19h-22h).

Empire
State Building

Fleuron de l'Art déco américain et immortalisé par *King Kong* en 1933, l'Empire State Building a gardé le titre de plus haut gratte-ciel du monde pendant quarante ans, jusqu'à l'achèvement d'autres buildings plus contemporains. Haut de 381 m et de 102 étages, il est resté le symbole de la ville de New York. Aujourd'hui, plus de 15 000 personnes y travaillent.

l'échéance fixée, et, suite à la débâcle économique, le coût de la construction fut moindre que celui initialement prévu. Au rez-de-chaussée, huit vitraux représentant les Sept Merveilles du monde ornent l'ascenseur.

Le belvédère

La flèche qui surplombe la tour fut construite afin d'être un mât d'amarrage pour les dirigeables. Mais l'entreprise se révélant trop risquée, elle se transforma en antenne de télécommunication. La plateforme la plus élevée se trouve au 102e étage, mais vous jouirez de la meilleure vue sur Manhattan au 86e étage.

La compétition

Construit entre 1930 et 1931, l'Empire State Building est le résultat d'une compétition entre Chrysler Corporation (et son Chrysler Building de 320 m) et General Motors. Ce dernier remporta la lutte en dépassant son rival de 60 m. La construction fut fulgurante : un an et quarante-cinq jours. En raison de la dépression économique, il est longtemps resté à moitié vide, d'où son surnom d'*Empty State* (« Empire vide »). Ses promoteurs

évitèrent la faillite grâce au succès touristique du belvédère.

Le bâtiment

Dans un souci de rapidité, des éléments préfabriqués ont été utilisés. Les encadrements des 6 500 fenêtres sont en panneaux d'aluminium, et l'ossature se compose de 60 000 t d'acier. On compte dix millions de briques pour l'ensemble de l'édifice. Ce dernier, soutenu par 200 piliers d'acier, pèse 365 000 t. Le site fut ouvert cinq mois avant

> COORDONNÉES

Voir p. 30
350 5th Ave.,
angle 34th St. (B3)
M° 33rd St. ou 34th St.
☎ (212) 736 31 00
www.esbnyc.com
T. l. j. 8h-2h (dernier ascenseur à 1h15)
Entrée plein tarif : Main Deck (86e ét.) $32 (coupe-file : $55) ; Main Deck et Top Deck (102e ét.) $52 (coupe-file : $75)
Résa en ligne recommandée.

Museum
of Modern Art

Ouvert en novembre 1929 à l'initiative de riches mécènes, le Museum of Modern Art (MoMA) est devenu le plus important musée du monde. De nombreuses expositions temporaires sont organisées, indépendamment de la collection permanente qui compte plus de 100 000 acquisitions. À travers la peinture, la sculpture, la gravure, la photographie et l'architecture, vous ferez connaissance avec les mouvements artistiques qui ont marqué le XXe siècle.

Peinture

La collection est présentée par périodes et par mouvements. L'impressionnisme est principalement présent, avec une salle entièrement consacrée à Claude Monet. Vous y verrez le célèbre triptyque *Les Nymphéas* avec ses jeux de couleurs. Les œuvres postimpressionnistes, telles que *Le Ciel étoilé* de Van Gogh, montrent l'importance donnée aux mouvements et aux couleurs. Ne manquez surtout pas *Les Demoiselles d'Avignon*, œuvre inspirée de l'art africain avec laquelle Picasso donna naissance au cubisme. Dans la salle consacrée au futurisme (la « beauté de la vitesse » selon Marinetti), laissez-vous séduire par le célèbre *Dynamisme d'un joueur de football*, de Boccioni. Au fil de la visite, Munch, Duchamp, Mondrian, Warhol et tant d'autres vous feront découvrir l'évolution de la peinture.

Sculpture

Le musée regorge des œuvres de Bourdelle, Giacometti, César, Noguchi… Mais ne manquez sous aucun prétexte celles de Brancusi *(L'Oiseau dans l'espace)*. Le magnifique Jardin des sculptures détient, entre autres, un superbe *Balzac* de Rodin.

Photographie

La collection de photographies du musée est l'une des plus riches au monde avec plus de 25 000 travaux datant de 1840 à nos jours. Vous trouverez des œuvres d'artistes comme Stieglitz, Arbus, Cartier-Bresson… ainsi que de sublimes nus sur pellicule d'argent par Man Ray.

> COORDONNÉES

Voir p. 35
11 W 53rd St., entre 5th et 6th Ave. (B2)
M° 5th Ave.
☎ (212) 708 94 00
www.moma.org
T. l. j. 10h30-17h30 (20h ven.), f. Thanksgiving et Noël
Entrée plein tarif : $25 (gratuit ven. 16h-20h).

American Museum
of Natural History

Ouvert en 1877, le plus grand musée d'Histoire naturelle au monde se divise en vingt-deux bâtiments, et les collections comprennent plus de 32 millions de spécimens. Tous ne sont malheureusement pas exposés. Répartis par thèmes sur quarante-cinq salles, tous les aspects de la nature sont étudiés : anthropologie, astronomie, biologie, écologie, minéralogie, ethnographie… Les expositions temporaires sont souvent impressionnantes.

les représentent dans leurs milieux naturels. Fidèlement reproduits, les décors sont surprenants de réalisme. Ne manquez pas, au 2e niveau, le diorama consacré aux mammifères d'Afrique.

Les dinosaures
Inaugurée en 1995, la collection de dinosaures est le clou de la visite. Après un court film explicatif, vous découvrirez les origines des vertébrés, puis les salles des dinosaures et leurs immenses squelettes méticuleusement reconstitués. La visite est un régal pour les petits comme pour les grands.

Salle des météorites, des minéraux et des gemmes
Plus de 6 000 pierres précieuses (diamants, rubis, émeraudes…) sont exposées, au milieu desquelles trône la sublime Étoile des Indes,

le plus gros saphir bleu du monde (563 carats). Découverte au Sri Lanka, elle fut offerte au musée en 1901 par le milliardaire J. P. Morgan.

Océanographie et biologie des poissons
Vous ne pourrez pas manquer l'immense réplique en fibre de verre d'une baleine bleue de 29 m de long. Le diorama représentant un récif des Bahamas est une des merveilles de ce musée !

Les dioramas
Tout au long de la visite, des mises en scène d'animaux sauvages naturalisés

IMAX Theater
Haut de quatre étages et large de 20 m, l'écran du cinéma IMAX Theater vous propose un film toutes les heures et vous plonge au cœur d'un univers cosmique, naturel ou animal. Cette salle est très bien faite et très impressionnante !

> COORDONNÉES

Voir p. 40
Central Park West, angle 79th St. (A1)
M° 81th St.
☎ (212) 769 51 00
www.amnh.org
T. l. j. 10h-17h45
Don suggéré : $22 ($35 avec expos temporaires et attractions).

Central Park

Manhattan sans Central Park serait comme un arbre sans vie. Ce parc qui s'étend de 59th à 110th Street sur plus de 340 ha est considéré comme le poumon de l'île. Tous les New-Yorkais s'y côtoient. Un havre de paix, une véritable bouffée d'oxygène au cœur de la ville !

Son élaboration

On pourrait croire qu'il s'agit d'un parc naturel, mais il n'en est rien. En 1857, la Ville lance un concours d'architecture pour la création d'un immense parc. Frederick Law Olmsted et Calvert Vaux remportent la compétition avec un projet ambitieux intitulé « Greensward Plan ». Sa construction dure seize ans, mobilisant 20 000 ouvriers et nécessitant l'importation de 270 000 arbres, arbustes et plantes diverses. Le budget d'entretien annuel avoisine les 14 millions de dollars ! Le parc ouvre officiellement en 1873. Après plusieurs rénovations et travaux d'embellissement à la suite des dégâts causés par la crise des années 1930 et les rassemblements hippies des années 1970,

Central Park est aujourd'hui un véritable joyau.

Quelques curiosités…

En plus du **Metropolitan Museum** (voir p. 44 et 64) et du **zoo** (voir p. 42), Central Park abrite une multitude d'aménagements. Parmi ceux-ci, le **Belvedere Castle,** une structure victorienne perchée sur la plus haute colline, le **Conservatory Garden,** petit jardin botanique, le **Delacorte Theater,** où se produisent diverses troupes de théâtre, le **Loeb Boathouse,** charmant restaurant situé au bord du lac, le **Swedish Cottage,** théâtre de marionnettes, le **Wollman Rink,** pour sa patinoire d'hiver, ou encore le **Dairy** (les fermiers de la région venaient y distribuer leur lait), qui est aujourd'hui le centre

d'informations touristiques. Les enfants adorent grimper sur la statue en bronze d'*Alice au pays des merveilles* et les fans de John Lennon se donnent rendez-vous à Strawberry Fields.

Sports et loisirs

Jogging, vélo, roller, tennis, natation (oui, il y a même une piscine !), football, baseball, softball, équitation, patin à glace, yoga et tai-chi font partie des sports les plus pratiqués. En été, Central Park devient un haut lieu culturel où se tiennent des festivals de musique et de théâtre, souvent gratuits.

> COORDONNÉES

Voir p. 41
- **Parc :** t. l. j. 6h-1h (A1-2/B1-2 et D3) M° 5th Ave., 72nd St., 81st St., 86th St., 96th St., 103rd St. et C. Park North
- **Informations touristiques :** *Dairy Visitor Center* (au milieu du parc, au niveau de 65th St.) ☎ (212) 794 65 64 www.centralparknyc.org T. l. j. 10h-17h Visites guidées à thème gratuites ou payantes (liste et dates sur le site Internet).

The Frick
Collection

L'hôtel particulier d'Henry Clay Frick (1849-1919), érigé en 1913, est devenu l'un des musées les plus prisés de la ville. Après quarante ans d'acquisitions, ce magnat de l'acier a légué une inestimable collection d'œuvres d'art très variées, datant du XIVe au XIXe siècle. Quatorze salles, luxueuses et intimes, regroupent toiles de maîtres, mobilier français, porcelaines du XVIIIe siècle, bronzes de la Renaissance, meubles, tapis et émaux de Limoges.

Boucher Room

La salle Boucher est une reconstitution d'un boudoir du XVIIIe s., décoré par *Les Arts et les Sciences*, une œuvre du peintre en huit panneaux, à l'origine destinés à la bibliothèque de Mme de Pompadour.

Fragonard Room

Cette magnifique salle propose onze peintures de Fragonard intitulées *Les Progrès de l'amour*. Quatre d'entre elles décrivent la conquête amoureuse : la poursuite, la rencontre, l'amant et les lettres d'amour. De nombreuses pièces de mobilier français du XVIIIe s. occupent la salle, dont une remarquable commode Louis XVI de Lacroix. Sur la cheminée, admirez un buste en marbre de la comtesse du Cayla sculpté par Houdon.

Living Hall

L'une des plus belles salles reste le salon, qui regroupe les principales œuvres du musée, telles que *L'Homme à la toque rouge*, du Titien, et le *Saint Jérôme*, d'El Greco. Le portrait de *Sir Thomas More*, conseiller d'Henri VIII, par Holbein le Jeune, est une merveille. N'hésitez pas à faire un arrêt dans le paisible patio : entre son bassin et ses plantes tropicales trône un ange de bronze de Jean Barbet.

West Gallery

La galerie ouest, éclairée par une verrière, expose les œuvres majeures de la collection. Dans *Le Soldat et la Jeune Fille riant* et *La Leçon de musique interrompue*, le peintre Vermeer (1632-1675) suspend le temps grâce à son célèbre jeu d'ombre et de lumière. La salle abrite des tableaux d'autres célébrités du XVIIe s., dont Van Dyck, Vélasquez et Rembrandt.

> COORDONNÉES

Voir p. 43
1 E 70th St.,
angle 5th Ave. (B2)
M° 68th St.
☎ (212) 288 07 00
www.frick.org
Mar.-sam. 10h-18h,
dim. 11h-17h, f. j. f.
Entrée plein tarif : $20
(don libre dim. 11h-13h),
interdit moins de 10 ans.

Solomon R.
Guggenheim Museum

Issu d'une famille suisse fortunée, Solomon R. Guggenheim (1861-1949) s'intéresse à l'art moderne grâce à Hilla Rebay. Devenue sa conseillère artistique, cette artiste allemande lui apprend à apprécier l'art abstrait. Il rencontre alors Delaunay, Léger, Chagall et Kandinsky, et, en 1943, fait appel à l'architecte Frank Lloyd Wright pour bâtir un musée d'art « non objectif », achevé en 1959. Le musée contient aujourd'hui un fonds de plus de 6 000 œuvres.

Le bâtiment

« Ici, on trouve l'idéal que je propose pour l'architecture de l'âge de la machine. » Avec ses formes circulaires et sa façade d'un blanc éclatant, l'édifice de Wright, posé comme une sorte de grand vaisseau extra-terrestre au milieu des buildings new-yorkais invariablement rectangulaires, dégage une extraordinaire modernité. À l'intérieur, un grand vide cylindrique domine la rotonde principale, baignée par un puits de lumière. Les œuvres d'art, jusque-là dissimulées au regard, se dévoilent au fil de la rampe en spirale qui longe ses murs concaves sur 800 m. En chemin,

des paliers permettent d'accéder aux différentes salles de la petite rotonde. Un conseil, prenez l'ascenseur jusqu'au sommet et visitez le musée en descendant.

La collection permanente

L'essentiel de l'espace étant dévolu aux expositions temporaires, vous ne verrez qu'une infime partie de la collection permanente, partagée entre les différents musées Guggenheim dans le monde et exposée par roulement. Née de la réunion de plusieurs collections privées et balayant les grands courants de l'art du XXe et XXIe s., elle comprend des toiles de Delaunay, Mondrian et Klee, des sculptures de Calder et Giacometti, et le plus grand ensemble au monde de peintures de Kandinsky. La fameuse collection de l'allemand Thannhauser, léguée au musée en 1963, l'a complétée de nombreux chefs-d'œuvre impressionnistes et postimpressionnistes, présentés par rotation dans la Thannhauser Gallery : Montagnes à Saint-Rémy de Van Gogh, La Femme à la perruche de Renoir, Les Joueurs de football d'Henri Rousseau, Devant le miroir de Manet, Femme aux cheveux jaunes de Picasso…

> COORDONNÉES

Voir p. 45
1071 5th Ave., angle E 89th St. (B1) M° 86th St. ☎ (212) 423 35 00 www.guggenheim.org Dim.-mer. et ven. 10h-17h45, sam. 10h-19h45, f. Thanksgiving et 25 déc. Entrée plein tarif : $25 (don libre sam. 17h45-19h45).

Metropolitan
Museum of Art (MET)

Créé en 1870 par un groupe de riches Américains, ce musée possède dix-huit départements sur 10 ha et plus de deux millions d'objets au sein de sa collection permanente ! On doit sa façade en calcaire gris de style Beaux-Arts à Richard Morris Hunt.

Antiquités égyptiennes

Un des musts du musée reste la collection de sarcophages, sculptures, objets funéraires et bijoux couvrant cinq millénaires. Le superbe temple de Dendur est un cadeau du gouvernement égyptien aux États-Unis en 1965, en remerciement de leur contribution au sauvetage du temple d'Abou-Simbel.

The Cloisters

Il serait dommage de manquer cette branche du musée consacrée à l'art et à l'architecture de l'Europe médiévale. Installé au nord de Manhattan, au sein du Fort Tryon Park, le site est en lui-même un havre de paix et offre une magnifique vue plongeante sur l'Hudson River et le New Jersey.

L'art américain

De l'époque coloniale à nos jours, vous découvrirez l'évolution de l'art américain. De sublimes intérieurs sont reconstitués : ne manquez pas la salle à manger dessinée par Wright. Certains portraits de George Washington par Gilbert Stuart sont exposés, ainsi que le célèbre portrait, *Madame X*, de Sargent. À voir aussi, les peintures d'Edward Hopper.

Peintures, sculptures et arts décoratifs d'Europe

Le département possède 3 000 toiles européennes.

Vous découvrirez notamment des chefs-d'œuvre de l'art flamand, dont *Les Moissonneurs*, de Bruegel. Deux salles sont également consacrées à Rembrandt. Parmi les plus grands peintres, la collection réunit des toiles de Rubens, Vermeer, Vélasquez, Goya, Watteau, Monet, Cézanne… et la célèbre *Diseuse de bonne aventure*, de Georges de La Tour. Les reconstitutions de salons parisiens du XVIIIe s. sont surprenantes. L'aile Gravis abrite 60 000 sculptures et objets d'art décoratif, dont *La Main de Dieu*, de Rodin.

> COORDONNÉES

Voir p. 44

1000 5th Ave., angle E 82nd St. (B1)
M° 86th St.
☎ (212) 535 77 10
www.metmuseum.org
Dim.-jeu. 10h-17h30, ven.-sam. 10h-21h, f. 1er janv.,1er lun. de mai, Thanksgiving, et Noël, .
Don suggéré : $25.
• **The Cloisters**
99 Margaret Corbin Drive, Fort Tryon Park (Voir plan rabat arrière)
M° 190th St.
☎ (212) 923 37 00
Mars-oct. : t. l. j. 10h-17h15 ; nov.-fév. : t. l. j. 10h-16h45
Accès payant (billet valable le même jour pour le MET).

Brooklyn Bridge

Avec ses deux majestueuses tours de style gothique, le Brooklyn Bridge fait partie des monuments les plus prestigieux et visités de New York. Reliant le faubourg de Brooklyn à l'île de Manhattan, il offre à ses promeneurs une vue imprenable sur la ville et une immense sensation de liberté et de puissance.

Historique

Durant le XIXe s., la ville de New York et celle de Brooklyn, alors indépendantes, subissent un essor démographique considérable. Elles comptent à elles deux 220 000 habitants en 1830, puis un million en 1860 ! Il apparaît alors nécessaire de les relier en construisant un pont pour faciliter la circulation des hommes et des marchandises. En 1866, la ville de New York vote une loi pour sa construction.

Son élaboration

Les plans du pont de Brooklyn ont été dessinés par John A. Roebling, un ingénieur d'origine allemande qui a mis au point le câble métallique. Les travaux débutent en 1867, mais Roebling meurt deux ans plus tard sans que ceux-ci soient achevés. Son fils, Washington, prend la relève et mène le projet à bien malgré un accident de chantier. En 1883, le pont est enfin inauguré et Brooklyn devient partie intégrante de New York City. Avec près de 2 km de long (1 825 m exactement), 26 m de large, quatre câbles en acier de 40 cm de diamètre (permettant son soutien) et deux tours d'environ 90 m de haut, le pont de Brooklyn, sublime accomplissement architectural, devient une véritable icône aux yeux du monde.

De l'autre côté du pont…

Il serait dommage de ne pas profiter de cette traversée pour découvrir le quartier mythique et historique de Brooklyn Heights (voir p. 49). Situé immédiatement à l'est du pont, ce secteur devient dès 1810 un lieu à la mode, doté du charme d'un village et de la proximité de la « grande ville ». Aujourd'hui encore, il compte parmi les endroits les plus beaux et les plus chers de New York. Découvrez la promenade avec sa vue prestigieuse sur la pointe de Manhattan, et prenez le temps d'observer les somptueuses maisons des alentours de Henry St.

> COORDONNÉES

Voir p. 48
Entrée sur Park Row, à hauteur de Centre St. (B6/C6)
M° Brooklyn Br.-City Hall.

La porte
du rêve américain

À lire avant ou après votre visite d'Ellis Island (voir p. 10). Ces informations vous permettront de comprendre pourquoi New York fascine et attire des foules d'immigrants venant y chercher fortune depuis si longtemps.

À la découverte du site

C'est en 1524 que le Florentin Verrazano découvre le site de Manhattan. En 1609, l'Anglais Hudson, au service des Hollandais, remonte le fleuve qui portera son nom. Le site de La Nouvelle-Amsterdam – l'extrême sud de Manhattan – est ensuite choisi par les Hollandais pour des raisons stratégiques. Reprise par les Anglais en 1664, la ville est rebaptisée « New York » en l'honneur du duc d'York, le futur Jacques II. Première capitale des États-Unis d'Amérique de 1785 à 1790, elle perd ensuite son titre au profit de Philadelphie.

L'organisation du carrefour new-yorkais

À partir du XIXe s., New York décolle grâce à sa situation exceptionnelle d'avant-port des grands lacs (c'est sur l'Hudson que Fulton essaie, en 1807, son bateau à vapeur), et la ville s'impose vite comme la porte de l'Amérique. Port de débarquement des immigrants, c'est ici que convergent, dès 1850, les grandes voies ferrées qui permettent d'accéder à un arrière-pays étendu jusqu'aux Rocheuses. De 1860 à la fin du siècle, la croissance se manifeste

L'île de Manhattan, gravure ancienne de la fin du XIXe s.

dans tous les domaines, et la population augmente à un rythme rapide. Au XXe s., le métro, les transports urbains et les aéroports achèvent d'irriguer le grand carrefour new-yorkais.

Ellis Island : aux portes de la « Terre promise »

Dans la baie de New York, Ellis Island est l'île où débarquèrent et transitèrent douze millions d'immigrants entre 1892 et 1954. C'est sur l'« Île des Larmes » que les familles étaient parfois séparées et que les immigrants, marqués à la craie, recevaient une nouvelle identité avant d'être jetés dans le Nouveau Monde. Aux baraquements en bois succéda un bâtiment de style Art nouveau, où toutes les personnes qui arrivaient étaient contrôlées. Rénové et transformé en musée (voir p. 10 et 55), il conserve des témoignages émouvants.

La Mère des Exilés

Symbole de la liberté des peuples (et critique en filigrane des structures sociales de la vieille Europe par ses concepteurs français), la statue de la Liberté (voir p. 10) a aussi symbolisé l'espoir d'une vie meilleure pour les millions d'immigrants qui ont débarqué à Ellis Island. Miss Liberty était en effet la première image de l'Amérique offerte aux exilés après l'éprouvante traversée de l'Atlantique en paquebot. Tournée, le regard sévère, vers son continent d'origine, elle brandit son flambeau et tient une tablette portant la date de la Déclaration d'indépendance américaine : 4 juillet 1776. À ses pieds gisent les chaînes brisées de l'esclavage, et le poème d'Emma Lazarus, inscrit sur le piédestal, décrit les États-Unis comme une terre d'accueil.

Le Lower East Side : berceau de l'immigration

Le premier quartier de l'immigration à New York fut le Lower East Side. Les Irlandais puis les juifs d'Europe centrale s'y installèrent dans des logements dépourvus d'hygiène. Une douche froide pour ceux qui avaient fui la misère et se retrouvaient dans des taudis new-yorkais. Le Lower East Side Tenement Museum (voir p. 18) témoigne de ces conditions de vie misérables, terreau d'une solidarité et d'une organisation communautaire qui perdurent.

Museum of the City of New York

Pour en savoir plus sur l'histoire de la ville, visitez ce passionnant musée. Photographies, peintures, costumes, meubles, jouets et arts décoratifs racontent le New York d'hier à aujourd'hui, ses héros, ses anonymes, son évolution urbaine, architecturale, culturelle et sociale. Toutes les facettes de la Grosse Pomme, des gratte-ciel au hip-hop ! Le ticket donne accès au Museo del Barrio voisin, consacré à la culture latino-américaine.

1220 5th Ave., entre 103rd et 104th St. (E3)
M° 103rd St. – ☎ (212) 534 16 72 – www.mcny.org
T. l. j. 10h-18h – Don suggéré : $14.

New York
cosmopolite

chaque minorité s'opère souvent à l'échelle des pâtés de maisons.

De Chinatown à Little Italy (voir p. 16) en passant par le Lower East Side (voir p. 18), le caractère multiculturel de New York se rappellera en permanence à vous. Certaines communautés continuent même parfois à vivre entre elles dans des quartiers comparables à des ghettos.

Un tour du monde en quelques blocs

Traditionnellement, les immigrés russes vivent à Brooklyn, dans le quartier de Brighton Beach ; les Chinois ont installé leur Chinatown à Manhattan ou dans le quartier de Flushing (Queens) ; les Polonais, quant à eux, habitent Greenpoint (Brooklyn). Le vieux quartier de Little Italy, que les Italiens ont quitté depuis bien longtemps pour s'installer autour d'Arthur Ave. dans le Bronx, est grignoté par les Chinois, dont la population a quintuplé en trente ans. Quant aux Hispaniques, très présents dans le Lower East Side, ils se disputent le Bronx et Harlem avec les Noirs américains. Aujourd'hui, le regroupement de

Anciennes et nouvelles minorités

En 1945, neuf New-Yorkais sur dix étaient des Blancs. Les immigrés venaient presque exclusivement d'Europe. En 1965, lorsque les quotas d'immigration furent supprimés, près de trois millions d'immigrants arrivèrent à New York : Jamaïcains, Dominicains, Mexicains, Coréens, Pakistanais, Indiens et Chinois. Aujourd'hui, la ville de New York est plus métissée que jamais : un habitant sur trois est né à l'étranger, et on y parlerait 170 langues différentes ! Majoritaire, la population blanche, qui comprend notamment les descendants d'immigrés irlandais, juifs, italiens, grecs ou russes, augmente significativement, tandis que les communautés hispaniques et latino se classent en deuxième position, dépassant la population noire américaine, en déclin depuis les années 2000.

L'empreinte de la communauté juive

Précédant Jérusalem ou Tel-Aviv, New York est la première ville juive du monde, au point qu'à travers les États-Unis le mot « New Yorker » signifie souvent « juif ». Ainsi, vous trouverez de nombreux commerces d'alimentation casher. Dans les années 1950, beaucoup de juifs quittèrent leurs quartiers de Manhattan, comme le Lower East Side, pour s'établir à Brooklyn et sur Long Island.

Confrontations

L'arrivée d'immigrants de cultures très différentes peut provoquer des confrontations, savoureuses ou brutales. Avec le recul, il apparaît que les brassages intercommunautaires ou les mariages mixtes sont rares. Les Portoricains trouvent que les Mexicains parlent mal l'espagnol (!), et ces derniers s'entendent bien avec les Grecs ou les Chinois, qui leur procurent des petits boulots. En bref, même si chacun se sent new-yorkais, chaque communauté ethnique revendique ses particularismes et maintient sa culture.

Agenda des communautés minoritaires

- **Fin janvier ou février (en fonction de la pleine lune) :** *Nouvel An chinois* dans Chinatown (pendant quinze jours, www.betterchinatown.com).
- **Mars :** *Saint-Patrick* (17 mars), patron des Irlandais : parade sur 5th Ave., depuis l'église Saint-Patrick jusqu'à 86th St. ; *Greek Day Parade* (25 mars), sur 5th Ave. : danses et défilé en costumes folkloriques.
- **Avril :** *Passover*, la Pâque juive.
- **Juin :** *Israel Parade*, sur 5th Ave. (début juin) ; *Puerto Rican Day Parade*, parade des Portoricains sur 5th Ave.
- **Juillet-août :** *Harlem Week*, le plus grand festival black et latino (musique, danse, cinéma…) débute en juil. (infos sur www.harlemweek.com) ; *St Stephen's Day Parade*, par la communauté hongroise, sur E 86th St. (mi-août) : parade à cheval.
- **Septembre :** *Rosh Hashannah*, le Nouvel An juif, puis *Yom Kippur*, jour du Pardon ; *San Gennaro*, dix jours de fêtes à caractère religieux et profane dans Little Italy sur Mulberry St. pour fêter saint Gennaro (infos au ☎ (212) 768 93 20 et sur www.sangennaro.org) ; *West Indian Day Carnival*, festival antillais à Brooklyn (1er w.-e. de sept. ; infos au ☎ (718) 467 17 97 et sur www.wiadca.com).
- **Octobre :** *Pulaski Day Parade* (1er dim. d'oct.), fête polonaise sur 5th Ave. (infos sur www.pulaskiparade.com) ; *Hispanic America Day Parade*, sur 5th Ave., entre 57th et 86th St. (mi-oct.).
- **Décembre :** *Hannukah*, fête juive de huit jours.

New York, capitale
mondiale de la culture

New York est une extraordinaire marmite culturelle qui a donné une bonne partie de ce que le monde des arts et des lettres compte de talents. C'est là que tout se passe dès les années 1940 et que se regroupent artistes, écrivains, acteurs et musiciens pour se faire un nom. Reine de la presse et de l'édition, haut lieu de la création et de l'expérimentation, *Big Apple* est au cœur de l'industrie et de la consommation de la culture.

La vitrine de l'art

Tout commence avec l'Armory Show, la première exposition d'art moderne organisée aux États-Unis, qui se déroule à New York en 1913 sur fond de scandale. Puis, en 1925, le Museum of Modern Art offre sa première vitrine permanente à la création contemporaine. De généreux mécènes, telle Gertrude Vanderbilt Whitney, fondatrice du Whitney Museum en 1931, collectionnent et encouragent la jeune avant-garde comme Edward Hopper, le peintre des villes américaines. D'autres, comme les hommes d'affaires Henry Clay Frick ou John Pierpont Morgan, collectionnent les trésors de la vieille Europe. Outre ses institutions au rayonnement mondial (MET, Guggenheim), New York est aussi, avec quelque 600 galeries d'art et de grands marchés de l'art (Christie's, Sotheby's), la plaque tournante de l'art contemporain.

Un rêve d'écrivains

New York fait son entrée en littérature au XIXe s. avec des

Manhattan s'affirme comme un creuset du modernisme pictural. John Cage, Philip Glass ou Laurie Anderson y explorent les champs de la musique expérimentale, tandis que la scène underground s'épanouit dans les années 1980 à East Village, entre théâtre d'avant-garde et concerts punk. Aujourd'hui refoulés par les loyers prohibitifs de Manhattan, les artistes ont fait du postindustriel Buschwick leur nouveau nid.

auteurs comme Washington Irving (*Histoire de New York*, 1809), Herman Melville, le père de *Moby Dick*, et Walt Whitman, l'un des poètes les plus influents des États-Unis. Francis Scott Fitzgerald *(Gatsby le Magnifique)*, Truman Capote *(Petit déjeuner chez Tiffany)*, Tom Wolfe *(Le Bûcher des vanités)* ou encore Paul Auster *(Trilogie new-yorkaise)* l'ont célébré dans leurs romans. De la Beat Generation (Jack Kerouac, Allen Ginsberg, William Burroughs) au Brat Pack des années 1980 (les salles gosses de New York Bret Easton Ellis et Jay McInerney), tous ont contribué à façonner le mythe de la Grosse Pomme, ville de tous les possibles, pour la placer en tête d'affiche de la littérature américaine.

Avant-gardes et contre-culture

C'est à Greenwich Village, où se regroupent au début du XXᵉ s. les intellectuels en lutte contre le carcan victorien, que naissent les avant-gardes. Rejetant l'*American way of life* et prônant la libération sexuelle (le Village sera l'épicentre du mouvement de libération gay), la bohème artistique et littéraire des années 1950-1960 leur emboîte le pas. On y croise les grandes figures de la Beat Generation et de l'expressionnisme abstrait, premier grand mouvement artistique des États-Unis popularisé par de Kooning, Pollock et Rothko. Avec le pop art de Warhol et Lichtenstein et le street art de Keith Haring et Basquiat, le sud de

La presse new-yorkaise

Capitale de la presse à partir du XIXᵉ s., New York abrite le siège du journal le plus prestigieux des États-Unis, le *New York Times,* fondé en 1851. Les meilleurs auteurs, critiques et journalistes alimentent depuis 1925 le magazine intello *The New Yorker,* qui donne, à travers ses colonnes, ses caricatures, son agenda et sa rubrique *Talk of the Town* (« Ce qui se dit en ville »), un bon aperçu de la vie et de la culture new-yorkaises. On y publie aussi les grands magazines d'idées comme *The New York Review of Books* (démocrate) et *Commentary Magazine* (conservateur).

Les gratte-ciel
new-yorkais

New York est indissociable de ses *skyscrapers*. Fruit d'une étroite coopération entre l'art et l'avancée technologique, le gratte-ciel est un véritable témoignage de son époque. Classicisme, Art déco, architecture postmoderne… Voici toutes les clés pour les décrypter.

L'ascenseur et le métal : aux origines des gratte-ciel

Le gratte-ciel apparaît à partir de 1880 dans les deux plus importants centres urbains américains de l'époque : New York et Chicago. Au lendemain de la guerre de Sécession, les villes du Nord-Est et du Midwest, déjà prospères et dynamiques, croissent en effet de façon vertigineuse en raison de l'afflux de nouveaux arrivants. Avec l'invention de l'ascenseur et celle de l'ossature métallique qui permet une construction légère, les gratte-ciel peuvent désormais s'élever dans le ciel.

Les premiers édifices : classicisme et inspiration historique

Dès le début du siècle dernier, New York témoigne de réalisations impressionnantes,

comme le Flatiron Building (voir p. 28), colonne majestueuse construite par Burnham en 1902 à l'angle de Broadway et de 5th Avenue. Ce style, encore plein de retenue, laisse place, à l'aube du XXe s., à des constructions qui se parent de décors inspirés de l'Antiquité ou d'éléments gothiques.

Le triomphe de l'Art déco

Dans les années 1920, c'est le boom de la construction. L'Art déco triomphe et donne aux nouveaux gratte-ciel plus d'éclat et d'élégance. New York transpose les rythmes et les couleurs du jazz dans son architecture. Les gratte-ciel s'habillent de motifs décoratifs répétitifs où l'on recherche les effets de symétrie. Un des plus beaux immeubles de cette époque, le Chrysler Building (voir p. 36), est entièrement revêtu de plaques d'acier inoxydable.

Le style international

Après la Seconde Guerre mondiale, la construction des gratte-ciel s'accélère. Les matériaux utilisés – l'acier, le verre et l'aluminium – permettent l'apparition du mur-rideau et créent des compositions plus régulières et dépouillées qui proscrivent les motifs décoratifs et les ornements : c'est le style international, qui règne à Tokyo, à la Défense ou à Rio. New York compte de nombreux gratte-ciel de ce genre, comme le Lever House (1952), premier building en verre de la ville, sur Park Ave. (au n° 390), ou le Seagram Building (1958) de Mies Van der Rohe.

Le clin d'œil postmoderne

En réaction au style international froid et sec, le postmodernisme des années 1980 joue avec les formes insolites, réintroduit des éléments décoratifs, des matériaux nobles et des allusions au passé avec un certain goût du tape-à-l'œil (World Financial Center à Battery Park). Une nouvelle ère, plus audacieuse, s'ouvre à la fin des années 1990 avec la tour LVMH du Français Christian de Portzamparc et les *twins* du Time Warner Center (voir p. 38).

Archi design

Les plus grands architectes se bousculent pour dessiner la *Big Apple* du XXIe s., prise de fièvre design et écolo. Le 8 Spruce Street et l'IAC Building de Franck Gehry (voir p. 27), Vision Machine de Jean Nouvel (voir p. 27), le New Museum of Contemporary Art (voir p. 19), la tour du *New York Times* de Renzo Piano (voir p. 32) et le 1 WTC de David Childs (voir p. 12), plus haute tour de l'hémisphère occidental (541 m), sont les icônes de ce renouveau architectural post-11 Septembre.

Skyscraper Museum

Si les gratte-ciel vous passionnent, faites un tour dans ce musée du bas de la ville. Méconnu du grand public (peut-être à cause de sa toute petite superficie), il présente pourtant des expositions fort intéressantes et riches en informations sur ces édifices si fascinants que sont les gratte-ciel. Que ce soit à propos d'un bâtiment en particulier, d'un quartier ou d'une ville (les expositions ne concernent pas que New York), vous découvrirez tout sur leur histoire, leur fabrication et leur impact à l'aide de dessins, de maquettes, d'archives, de vidéos, etc.

39 Battery Place, entre Little W St. et 1st Place (B6)
M° Bowling Green – ☎ (212) 968 19 61 – www.skyscraper.org
Mer.-dim. 12h-18h – Entrée plein tarif : $5.

Architecture,
le grand mix

Même si l'île de Manhattan est réputée pour ses gratte-ciel et ses larges avenues, elle renferme de nombreuses autres spécificités architecturales sur lesquelles il serait dommage de ne pas s'attarder. À l'ombre de ses immenses tours, New York est une ville aux multiples visages dont les différents quartiers forment un patchwork de styles qui lui offre toute sa richesse et son identité.

Downtown, berceau de l'histoire

Il suffit de se promener à travers le dédale des rues

étroites et éventées du bas de la ville pour ressentir aujourd'hui encore les vestiges de la présence des Hollandais, premiers colonisateurs de l'île dès le XVIIe s. (voir p. 66). Un exemple de ce style d'édifices est visible sur Pearl St. (B6). Plus généralement, le périmètre situé à l'est de Broadway et au sud de Wall St. (dont le nom atteste des anciennes fortifications) vous transportera dans une autre époque grâce à ses ruelles grossièrement pavées et à ses maisons faites de pierres et de briques.

Le Village… la campagne à la ville !

Avec ses airs de campagne tantôt chic, tantôt bohème, le Village (qui comprend Greenwich et le West Village, voir p. 24) apporte douceur et calme à la ville. Vous croiserez uniquement des petites maisons ou des immeubles de briques à quatre ou cinq étages. Son tracé anarchique, par opposition avec le quadrillage du reste de la ville, invite à s'y perdre. Les ruelles étroites et les façades colorées ont un charme exceptionnel ! Parmi les petits trésors à ne pas manquer : St Luke's Place (situé au cœur de Leroy St., entre Hudson St. et 7e Ave. – G7), Grove St. (voir p. 25) et Bedford St. (G7), qui renferme la plus petite maison du quartier (au n° 75 1/2).

Les *brownstones*, l'élégance new-yorkaise

Le *brownstone* est un grès rouge utilisé pour la construction de maisons. Les premiers édifices sont apparus à New York au milieu du XIXe s. Le terme « *brownstones* » désigne également une série de maisons alignées et identiques dont l'entrée principale est surélevée par rapport au niveau de la rue. On y accède grâce à de petits escaliers extérieurs. Les *brownstones* bénéficient aussi de très larges fenêtres et de bow-windows, qui viennent ajouter de l'élégance au bâtiment. Les plus beaux exemples de cette architecture se trouvent à Harlem (voir p. 46) et dans le quartier de Park Slope à Brooklyn (voir p. 48).

Cast-iron buildings, les prémices des gratte-ciel

Cette architecture, liée à la révolution industrielle, apparaît à la fin du XIXe s. Les *cast-iron buildings* sont des édifices constitués d'une structure en métal à laquelle vient s'ajouter une façade de fonte. Du fait de la solidité des matériaux, cette nouvelle technique de construction a permis aux architectes de projeter des bâtiments de plus en plus hauts. Les façades, agrémentées de colonnes d'ordre dorique, ionique ou corinthien, sont majestueuses. Le quartier de SoHo (voir p. 22) renferme la plus grande concentration de *cast-iron buildings* de toute la ville. Au départ, il ne s'agissait que d'immeubles commerciaux, mais aujourd'hui, après avoir servi d'ateliers d'artistes dans les années 1970, ces bâtiments ont été transformés en lofts de luxe très prisés des New-Yorkais.

Le « chic » industriel

New York, ville moderne et futuriste, renferme aussi quelques quartiers underground, anciennement industriels, devenus chic et prisés pour leur vocation : ils sont les épicentres des arts, de la mode et de la vie nocturne. C'est le cas du Meatpacking District et de ses anciens abattoirs (voir p. 26), de Chelsea et de ses nombreux entrepôts (voir p. 27), ou encore de DUMBO et Williamsburg, à Brooklyn, et de leurs usines en brique (voir p. 50). Tous ces espaces, transformés aujourd'hui en lofts, font partie intégrante du charme de la ville et de son côté cinégénique pittoresque.

Un autre paysage urbain

Manhattan possède un atout majeur : celui d'être une île ! L'Hudson River (à l'ouest) et l'East River (à l'est), en plus d'oxygéner la ville, transforment le paysage urbain en passant de la verticalité des tours à l'horizontalité de l'eau. Ils offrent de très beaux points de vue à la ville. Des promenades arborées ont été aménagées le long des fleuves, principalement à l'ouest (voir p. 11).

Enclaves et châteaux d'eau

Dans les années 1800, la ville de New York impose que tout immeuble de plus de six étages possède un château d'eau sur son toit. Devenus un des emblèmes de la ville, ils continuent d'orner le ciel de Manhattan ! Autre curiosité architecturale : de petites enclaves qui, le temps d'une cour ou d'une impasse, forment un minivillage au sein de la ville. Grove Court (voir p. 25), Washington Mews (autour de 5th Ave. au sud de 8th St. – H6), Sniffen Court (150-158 E 36th St., entre Lexington et 3rd Ave. – B3)… il y en a partout. Ouvrez l'œil !

Restaurants
mode d'emploi

Au menu

Reflet du melting-pot culturel et ethnique de la ville (pour en savoir plus, voir p. 68), toutes les cuisines du monde et tous les régimes (végétarien, bio, casher, halal…) cohabitent (pour en savoir plus, voir p. 94). Les portions sont généreuses : vous pouvez repartir avec vos restes en demandant votre *doggy bag* ! Copieux, le breakfast (petit déjeuner) peut constituer un vrai repas, le lunch (déjeuner) est plus léger et les plats sont moins chers que ceux du soir *(dinner)*. Ne manquez pas le brunch du week-end (voir p. 95)… Un incontournable !

Les institutions

Expérience new-yorkaise par excellence, le *steakhouse* ne sert que de la viande, en quantité et très chère. Le *delicatessen* sert de la cuisine juive et les plus célèbres spécialités new-yorkaises (sandwichs au pastrami, corned-beef, bagels). Pour le côté pittoresque, on trouve encore des *diners* à l'ancienne avec tables en Formica, cuisine traditionnelle et café à volonté. Les nombreux *delis* (épiceries) disposent d'un *salad bar*, buffet où l'on compose soi-même son assiette, payée au poids. Enfin, impossible de ne pas goûter une *slice* (« part ») de pizza new-yorkaise !

En pratique

Les restaurants proposent souvent un service continu, les New-Yorkais mangent à toute heure. Réservez très à l'avance pour une table dans un restaurant à la mode (www.opentable.com). Les prix indiqués sur les cartes sont toujours hors taxe. Celle-ci s'élève à 8,875 % et augmente vite l'addition, à laquelle il faut ajouter le *tip* (pourboire, 15 à 20 % de la note), **obligatoire.** Celui-ci est parfois ajouté d'office *(gratuity)*. Pensez toujours à avoir de l'argent liquide, les cartes de crédit ne sont pas acceptées partout *(cash only)*.

SE REPÉRER

Nous avons indiqué pour chaque adresse Restaurant sa localisation sur le plan général (B2, G8…). Pour un repérage plus facile, nous avons signalé sur le plan par un symbole jaune toutes les adresses de ce chapitre. Le numéro en jaune signale la page où elles sont décrites.

Les coups de cœur
de notre auteur

Burgers, pizzas, *dim sum*, *Caesar salad*, *soul food*… notre auteur a écumé des dizaines de *diners, delis,* stands de streetfood, restos branchés ! Voici son best of…

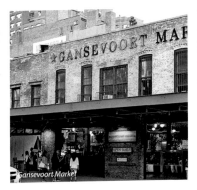

Gansevoort Market

Clinton Street Baking Company
Je fonds pour leurs pancakes. Un concentré de plaisir au petit déj (p. 80).

Gansevoort Market
Pour mes coups de fourchette locavores après une balade sur la High Line (p. 86).

Papa Poule
Ma station pour picorer un *chicken sandwich* en plein marathon shopping (p. 83).

Ruby's
Cuisine sympa à prix doux. C'est ma petite cantine décontractée de NoLIta (p. 83).

Diner
Inventivité, sourires et bonne musique : mon brunch happy du week-end (p. 92).

Roberta's
Des pizzas à se damner et une bonne dose de cool, à partager entre *good friends* ! (p. 93).

Diner

Papa Poule

Shake Schack
Mon rituel sacré dans *Big Apple* ? Un burger bio en compagnie des écureuils (p. 29).

The Cannibal Beer & Butcher
Parce qu'au rayon bières artisanales, cet antre de carnivores est une mine d'or (p. 88).

Nos restaurants
par quartiers

1 - Adrienne's Pizza Bar
2 - Adrienne's Pizza Bar
3 - Zaitzeff Burgers
4 - Nom Wah Tea Parlor

Lower Manhattan
Visite 1 – p. 10

Adrienne's Pizza Bar

54 Stone St. (B6)
M° Wall St.
☎ (212) 248 38 38
Lun.-sam. 11h30-minuit,
dim. 11h30-22h
Pizza : $15-$24.

Sans doute l'un des endroits les plus fréquentés du quartier financier. Dans un espace contemporain tout en longueur (autre entrée sur Pearl St.), vous dégusterez de succulentes pizzas à la pâte fine et croustillante ! Des pizzas traditionnelles (romana, siciliana, napoletana...) ou moins classiques, comme la old-fashioned (pour deux ou trois personnes). Le petit plus ? Vous choisissez vos ingrédients...

Zaitzeff Burgers

72 Nassau St., angle John St. (B6)
M° Fulton St.
☎ (212) 571 72 72
http://zaitzeff.com
T. l. j. 8h-22h
Hamburger : $9,25-$16,50.

Vous croiserez nombre d'endroits où déguster un hamburger, mais ceux-ci sont réalisés avec des muffins portugais (pain blanc) plutôt qu'avec de classiques buns américains... leur consistance en est encore plus savoureuse.

Financier Patisserie

• 62 Stone St. (B6)
M° Wall St.
☎ (212) 344 56 00
www.financierpastries.com
Lun.-ven. 7h-19h, sam.-dim. 9h-17h
• 35 Cedar St. (B6)
M° Wall St.
☎ (212) 952 38 38
Lun.-ven. 6h30-19h, sam.-dim. 8h-17h
Sandwich, salade : env. $9.

Cette luxueuse pâtisserie est devenue l'une des adresses

phares du quartier. En plus de ses gâteaux succulents (tartes, éclairs, opéras, fraisiers... \$5,50 la part), la carte propose soupes, quiches, salades, et de délicieux sandwichs.

Voir aussi Fraunces Tavern (p. 11) et Brookfield Place (p. 13).

TriBeCa
Visite 2 – p. 14

VCafé

345 Greenwich St., entre Harrison St. et Jay St. (G8)
M° Franklin St.
☎ (212) 431 58 88
www.viet-cafe.com
Lun.-ven. 11h-22h, sam. 12h-22h
Plat principal : \$13-\$25.

Les restaurants se succèdent sur cette partie de Greenwich St., mais le VCafé a un atout de plus : il vous fera voyager ! On y sert une cuisine vietnamienne authentique et savoureuse orchestrée par Madame Swong, une grande chef originaire du pays (le bœuf au sésame est inoubliable !). Ajoutez à cela l'immense cuisine ouverte (pour une ambiance sélecte mais familiale) et de belles photos du Vietnam.

Bubby's

120 Hudson St., angle N Moore St. (G8/H8)
M° Franklin St.
☎ (212) 219 06 66
www.bubbys.com
En été : t. l. j. 24h/24 sf mar.
f. minuit-7h ; le reste de l'année :
dim.-mer. 7h-23h, jeu.-sam.
7h-minuit/2h
Plat principal : env. \$20.

C'est bien un peu cher pour le déjeuner, mais Bubby's est un *must* du quartier. Spacieux et assez bruyant, mais aussi très chaleureux, on s'y délecte de sandwichs, salades, burgers et plats traditionnels

(macaroni & cheese). Le brunch copieux du week-end est très couru.

TriBeCa Grill

375 Greenwich St., angle Franklin St. (G8)
M° Franklin St.
☎ (212) 941 39 00
www.myriadrestaurantgroup.com
Lun.-jeu. 11h30-22h30,
ven. 11h30-23h30,
sam. 17h30-23h30, dim. 11h-17h
(brunch 11h-15h30)
Plat principal : env. \$16-\$28
(déjeuner), \$23-\$39 (dîner).

Ouvert par Drew Nieporent – propriétaire, avec Robert De Niro, de nombreux établissements –, ce restaurant est l'un des emblèmes de TriBeCa. On y savoure une nouvelle cuisine américaine de qualité. La clientèle est plutôt chic, et les célébrités jamais très loin...

Voir aussi Kitchenette (p. 15).

Chinatown et Little Italy
Visite 3 – p. 16

Caffé Roma

385 Broome St., angle Mulberry St. (H7)
M° Spring St.
☎ (212) 226 84 13
Dim.-jeu. 8h-23h,
ven.-sam. 8h-minuit.

C'est la dernière authentique pâtisserie italienne de Little Italy ! Dans un décor suranné de boiseries sombres et de vieux miroirs, la même famille continue depuis 1891 la tradition des *cannoli* (\$4), *pignoli*, tiramisu et autres gâteaux maison aux amandes... Bien sûr, le tout se déguste avec un cappuccino !

Nom Wah Tea Parlor

13 Doyers St. (I8)
M° Canal Street
☎ (212) 962 60 47
www.nomwah.com

Dim.-jeu. 10h30-21h, ven.-sam. 10h30-22h
Dim sum : \$3,50-\$5,50.

Délicieusement suranné, le plus vieux salon de thé de Chinatown sert des *dim sum* depuis 1920 pour accompagner la dégustation de thé. À vous de cocher dans la liste parmi la foule de petits mets cuits à la vapeur ou frits que l'on vous présentera sur des chariots, selon la tradition cantonaise : bun au porc, crevettes frites, boulettes de bœuf...

Nha Trang One

87 Baxter St., entre Walker St. et Bayard St. (H8)
M° Canal St.
☎ (212) 233 59 48
www.nhatrangone.com
T. l. j. 10h-22h
Plat principal : env. \$7.

Les restaurants s'alignent dans Chinatown et il peut parfois être difficile de s'y retrouver ! Ce restaurant vietnamien est une valeur sûre. Le service est très rapide et la cuisine irréprochable. Parmi les spécialités, les *bo bun* (vermicelle, soja, salade et viande de votre choix, \$5,50-\$8,75). Le thé est servi gratuitement tout au long du repas.

Ten Ren Tea Time

73 Mott St., entre Canal St. et Bayard St. (H8)
M° Canal St.
☎ (212) 732 71 78
www.tenren.com
T. l. j. 10h-20h.

Un petit bar à thés tout en longueur où vous pourrez déguster (sur place ou à emporter) les célèbres produits chinois Ten Ren. Dans un cadre moderne et sur fond de pop chinoise, vous vous laisserez emporter par les saveurs de thé vert au jasmin (\$3,50), de thé blanc, d'Oolong, ou par une spécialité : le *bubble tea* aux billes de tapioca ($4,50). La boutique au nº 75 permet de faire ses provisions.

Dim Sum Go Go

5 E Broadway, entre Catherine St.
et Chatham Square (I8)
M° Canal St.
☎ (212) 732 07 97
www.dimsumgogo.com
T. l. j. 10h-23h
Dim sum : autour de $5 ;
assortiment *dim sum* : env. $15.

Cette cantine moderne du sud de Chinatown, toujours bondée, sert d'excellentes bouchées à la vapeur ou frites, diverses soupes et des plats traditionnels chinois : boulettes de crevettes au sésame, buns au porc rôti façon Hong Kong, travers de porc...

Voir aussi Ferrara (p. 16) et Chinatown Ice Cream Factory (p. 17).

Lower East Side
Visite 4 – p. 18

Schiller's Liquor Bar

131 Rivington St., angle
Norfolk St. (I7)
M° Delancey St.
☎ (212) 260 45 55
www.schillersny.com
Lun.-ven. 11h-1h, sam. 10h-3h, dim. 10h-minuit ; possibilité de manger au bar t. l. j. 15h-17h
Plat principal : $13-$26.

Impossible de manquer le Schiller avec son immense façade vitrée, son carrelage blanc et son sol en damier ! Il propose une bonne cuisine de bistrot (poulet grillé, *fish & chips*, moules à la crème ou encore un délicieux sandwich cubain) dans une ambiance très bruyante mais *so New York* !

Katz's Deli

205 E Houston St.,
angle Ludlow St. (I7)
M° 2ⁿᵈ Ave.

☎ (212) 254 22 46
www.katzsdelicatessen.com
Dim.-mer. 8h-22h30,
jeu. 8h-2h45, ven.-sam. 24h/24
Hot dog : $3,75 ;
sandwich pastrami : $19,95.

Katz's est l'un des *delicatessens* les plus réputés de New York, autant pour son décor kitsch de vieille cantine que pour ses hot dogs. Goûtez le célèbre sandwich au pastrami et, si vous êtes courageux, tentez un *egg cream*, mélange de soda-lait et de chocolat ou de vanille en poudre, devenu célèbre grâce à Meg Ryan dans le film *Quand Harry rencontre Sally*.

Russ & Daughters Cafe

127 Orchard St., entre Delancey
et Rivington St. (I7)
M° Delancey ou Essex St.
☎ (212) 475 88 81
www.russanddaughterscafe.com
Lun.-ven. 10h-22h, sam.-dim.
8h-22h
Soupes et sandwichs : $8-$22.

Le célèbre *delicatessen* Russ & Daughters (voir p. 121) version *diner*. Les spécialités de la maison (caviar et poissons fumés) sont servies par des serveurs en veste blanche et cravate dans une douce ambiance rétro. Pour déguster sur fond de musique jazzy un bagel nappé de *cream cheese* au saumon, au sabre ou à l'esturgeon fumé... ou s'enflammer pour quelques grammes de caviar !

Yonah Schimmel's Knishes Bakery

137 E Houston St., entre
Forsyth St. et Eldridge St. (I7)
☎ (212) 477 28 58
www.knishery.com
T. l. j. 9h-19h
Knish : env. $3,50.

C'est en 1910 que Yonah Schimmel, jeune rabbin roumain,

ouvrit cette minuscule boutique afin de vendre une grande spécialité d'Europe de l'Est : les *knishes*. Fourrés aux pommes de terre, graines de sarrasin, épinards, choux, patates douces, champignons ou légumes, ces bouchées roboratives sont toujours préparées maison et cuites au four dans le sous-sol du magasin. *Coleslaw* et pickles pour $1,50.

Clinton Street Baking Company

4 Clinton St., entre E Houston St.
et Stanton St. (I7)
M° Delancey St.
☎ (646) 602 62 63
www.clintonstreetbaking.com
Lun.-ven. 8h-17h et 18h-23h, sam.
9h-16h et 18h-23h, dim. 9h-18h.

Cette boulangerie-restaurant est réputée pour faire les meilleurs pancakes ($14) de tout New York ! Le petit déjeuner est un véritable régal : *French toast* (pain perdu), muffins ($2,25), omelettes, biscuits au beurre, gâteaux en tout genre préparés avec des produits bio. Le brunch est un must, mais il y a foule.

Voir aussi Essex Street Market (p. 19).

East Village / NoHo
Visite 5 – p. 20

Café Mogador

101 St Mark's Place, entre
1ˢᵗ Ave. et Ave. A (I6)
M° Astor Place ou 1ˢᵗ Ave.
☎ (212) 677 22 26
www.cafemogador.com
Dim.-jeu. 9h-1h, ven.-sam. 9h-2h
Plat principal : env. $18 ; kebab :
env. $11 ; lunch menu : $12.

Dans une ambiance festive, vous vous régalerez d'une cuisine marocaine au rapport qualité-prix imbattable ! Couscous, tagines (l'agneau aux abricots et aux pruneaux est un délice),

1 - Bubby's (p. 79)
2 - Dim Sum Go Go
3 - Russ & Daughters Cafe

viandes grillées, assiettes composées... Sans oublier en entrée l'excellent *babaganoush* (caviar d'aubergines)... Pour déjeuner, le Café Mogador propose de succulents kebabs.

Two Boots East Village

42 Ave. A, angle 3rd St. (I7)
M° Lower East Side-2nd Ave.
☎ (212) 254 19 19
http://avenuea.twoboots.com
Dim.-jeu. 11h30-23h,
ven.-sam. 11h30-2h
Part de pizza : $2,85-$5.

Pour manger de délicieuses parts *(slice)* de pizza, rendez-vous chez Two Boots, qui associe saveurs de la Louisiane (surtout de La Nouvelle-Orléans) et de l'Italie. Résultat : une pâte croustillante recouverte d'ingrédients exquis !

Klong

7 St Mark's Place, entre 2nd et 3rd Ave. (H6)
M° Astor Place
☎ (212) 505 99 55
Lun.-mer. 11h30-1h, jeu. 11h30-23h, ven.-sam. 12h-minuit, dim. 12h-1h
Menu déjeuner : $7,50-$12, dîner : $11-$16.

Ce restaurant thaïlandais si discret de l'extérieur promet un beau voyage... pour une

somme dérisoire ! La formule déjeuner (11h30-15h30) comprend une entrée (poulet *satay*, nems, raviolis à la vapeur-*dumplings*, salade ou soupe) et un plat.

Momofuku Milk Bar

251 E 13th St., angle 2nd Ave. (I6)
M° 3rd Ave. ou Union Square
☎ (347) 577 95 04
www.milkbarstore.com
T. l. j. 9h-minuit.

La pause sucrée du chef David Chang pour faire des expériences gustatives. Tentez le *compost cookie* composé de chips, bretzels, café, avoine, caramels et pépites de chocolat ($2) ou optez pour une part de *banana cake* accompagné d'un milkshake ($6-$7). Pour les envies salées, Momofuku Ssäm Bar,

juste en face (207 2nd Ave., angle 13th St.), propose de délicieux buns au porc ou au canard rôti.

Momofuku Noodle Bar

171 1st Ave., entre 10th et 11th St. (I6)
M° 1st Ave. ou Astor Place
☎ (212) 777 77 73
www.momofuku.com
T. l. j. 12h-16h et 17h30-23h (1h ven.-sam.)
Plat : $12-$15.

La cuisine asiatique revue et corrigée par le chef star David Chang attire des hordes de *foodies* dans ce *noodle bar* branché d'East Village. On s'y régale de succulents petits buns au porc et de grands bols de *ramen*, les fameuses soupes de nouilles japonaises au porc, au poulet ou à la saucisse du Sichuan, le tout dans une ambiance de cantine avec tables communes et cuisine ouverte.

Porchetta

110 E 7th St., entre 1st Ave. et Ave. A (I6)
M° Astor Place
☎ (212) 777 21 51
www.porchettanyc.com
Dim.-jeu. 11h30-22h, ven.-sam. 11h30-23h
Sandwich : $7-$12.

Faites une halte à ce comptoir pour cueillir l'un des grands classiques de la *street food* ita-

1 - Ruby's
2 - Crif Dogs
3 - Papa Poule

lienne, la *porchetta*, du porc rôti pendant de longues heures, à la peau croustillante et fortement assaisonné (thym, romarin, sauge, ail, graines de fenouil, sel et poivre). Il peut être servi en sandwich dans du pain ciabatta ou à l'assiette, accompagné de pommes de terre rôties ou de haricots blancs.

Crif Dogs

113 St Mark's Place, entre 1er Ave. et Ave. A (I6)
M° 1er Ave.
☎ (212) 614 27 28
www.crifdogs.com
Dim.-jeu. 12h-2h,
ven.-sam. 12h-4h
Hot dogs : $3-$5.

Une saucisse géante en guise d'enseigne… pas de doute, vous êtes arrivé chez Crif Dogs, un petit fast-food en sous-sol qui ne paie pas de mine mais très populaire pour ses hot dogs au porc, au bœuf ou *veg-*

gie à toutes les sauces : avocat, bacon, sauce chili, oignons verts, *cream cheese*, pickles, piment jalapeño… Au menu également, burgers, frites et glaces.

Prune

54 E 1st St., entre 2nd et 1st Ave. (I7)
M° 2nd Ave.
☎ (212) 677 62 21
www.prunerestaurant.com
Lun.-ven. 17h30-23h, sam.-dim. 10h-15h30 et 17h30-23h
Plat principal : $25-$32.

Adopté par les *foodies* new-yorkais, ce petit restaurant de quartier est devenu un grand classique d'East Village. La recette du succès ? Une cuisine américaine de saison, familiale et authentique signée Gabrielle Hamilton, dont les livres de cuisine font aussi recette. On peut s'y régaler d'un ragoût de poulet aux légumes, d'un poisson grillé au fenouil ou

d'un lapin braisé à la *cacciatore*. Brunch du week-end très couru (pas de résa).

Café Angélique

68 Bleecker St., entre Broadway et Lafayette St. (H7)
M° Bleecker St.
☎ (212) 475 35 00
www.cafeangeliquenyc.com
Lun.-ven. 6h-20h,
sam.-dim. 7h-20h
Sandwichs : $9-$11.

Halte idéale pour une pause gourmande (les scones aux fruits rouges ou le *marble loaf cake*, $3, sont délicieux !) autour d'un thé ou d'un expresso. Vous pouvez également y manger des salades, soupes ou sandwichs à toute heure de la journée.

Voir aussi **Juicy Lucy** (p. 21).

SoHo / NoLIta
Visite 6 – p. 22

Balthazar

80 Spring St., angle Crosby St. (H7)
M° Spring St.
☎ (212) 965 14 14
www.balthazarny.com
Lun.-jeu. 7h30-minuit,
ven. 7h30-1h, sam. 8h-1h,
dim. 8h-minuit
Plat principal : env. $30 ;
sandwichs : $17-$20.

Depuis son ouverture, c'est la brasserie la plus prestigieuse de New York ! Dans un beau décor typiquement parisien et une ambiance plutôt bruyante, vous dégusterez des plats sans surprise mais de qualité. Un must, le plateau de fruits de mer à partager à deux ($115 le petit, $170 le grand). Balthazar étant constamment bondé, essayez le breakfast, moins frénétique !

Ed's Lobster Bar

222 Lafayette St., entre Spring St. et Broome St. (H7)
M° Spring St.
☎ (212) 343 32 36
www.lobsterbarnyc.com
Lun.-jeu. 12h-15h et 17h-23h,
ven. 12h-15h et 17h-minuit,
sam. 12h-minuit, dim. 12h-21h
Homard : $25-$36.

Quelle riche idée que d'avoir conçu un bar à homard ! Ce petit restaurant tout en longueur, avec peu de tables mais un bar immense, propose fruits de mer, poissons divers et la star du lieu, le homard. Vous pourrez le déguster de différentes façons : froid ou chaud bien sûr, mais aussi en ravioli, en burger, en sandwich ou au sein d'une bisque particulièrement goûteuse.

Lombardi's

32 Spring St., angle Mott St. (H7)
M° Spring St.
☎ (212) 941 79 94
www.firstpizza.com
Dim.-jeu. 11h30-23h,
ven.-sam. 11h30-minuit
Pizza 6 parts : env. $17,50 ; pizza 8 parts : $20 ; topping : $3
Règlement en espèces uniquement.

Présenté comme la première pizzeria de New York City (établie en 1905), Lombardi's a su conserver sa popularité malgré son côté « usine » bien loin de l'âme de la traditionnelle pizzeria italienne. Cela étant, les pizzas sont délicieuses, gigantesques (la plus petite se partage à deux) et arrivent prédécoupées dans un plat. C'est donc à l'américaine que vous dégusterez votre pizza italienne ! Dernier détail : c'est vous qui choisissez les ingrédients à poser dessus.

Tartinery NoLIta

209 Mulberry St., entre Spring St. et Kenmare St. (H7)
M° Spring St.
☎ (212) 300 58 38
www.tartinery.com
T. l. j. 11h30-minuit.

Nicolas, rejoint par son frère Sergeï, a bousculé en 2010 le quartier de NoLIta en ouvrant son restaurant. Mais que viennent faire ces deux Frenchies par ici ? Des tartines pardi ! Et avec du pain Poilâne. Poire et bleu, homard, poulet fermier au fenouil… chaque tartine est un régal !

Maman

239 Centre St., entre Grand et Broome St. (H7)
M° Spring St.
☎ (212) 226 07 00
www.mamannyc.com
Lun.-ven. 7h-18h, sam. 8h-18h, dim. 18h
Salade : $6-$12.

Café-boulangerie, Maman vous accueille pour le petit déjeuner, le lunch ou le goûter. Outre les croissants au beurre, brioches, madeleines et autres tartes aux pommes, on y propose une limonade maison, des croissants au jambon, des salades goûteuses, des quiches et des croque-maman très appétissants, à grignoter au comptoir, dans la salle à la douce ambiance ou dans la cour aux beaux jours.

Papa Poule

189 Lafayette St., entre Grand et Broome St. (H7)
M° Spring St.
☎ (212) 226 87 28
www.papapoulenyc.com
T. l. j. 11h30-20h
Sandwich : $10.

Cette rôtisserie de poche, qui n'offre pas de places assises mais un simple comptoir, propose de délicieux plats et sandwichs au poulet à emporter. On a aimé le Papa's Club, un pain brioché garni de chou kale, tomates confites, prosciutto, aïoli et moutarde Savora. Autre option, le Papa's Pita (concombre, carottes, oignons rouges et yaourt à l'aneth). Les specials varient au gré des jours de la semaine : salade Caesar, salade quinoa, carottes et panais rôtis au cumin…

Ruby's

219 Mulberry St., entre Prince et Spring St. (H7)
M° Prince St.
☎ (212) 925 57 55
www.rubyscafe.com
Dim.-jeu. 9h30-23h, ven.-sam. 9h30-minuit
Plat : $10-$14.

On aime Ruby's pour son ambiance intimiste et décontractée, ses burgers (optez pour le Bronte), salades et pasta en sauce, concoctés avec des produits locaux, et bien sûr pour ses prix doux. Des ingrédients simples mais efficaces pour passer un bon moment. Il faudra peut-être patienter dehors le temps qu'une table se libère…

Lucky Strike

59 Grand St., entre W Broadway et Wooster St. (H7)
M° Canal St.
☎ (212) 941 07 72
www.luckystrikeny.com
T. l. j. 12h-1h
Plat principal : $15-$25.

Ce restaurant est connu des New-Yorkais. On y sert une cuisine de bistrot de traditions française et américaine. Pizza, salade niçoise, steak-frites, sandwich au poulet grillé… La carte est simple et les plats savoureux. Pour le brunch du week-end, des *eggs benedict* s'ajoutent à la carte.

24h/24

Pour celles et ceux qui auraient une petite faim au milieu de la nuit, voici quelques bonnes adresses ouvertes nonstop où trouver des en-cas savoureux et à prix raisonnable.
• French Roast
(West Village)
78 W 11th St.,
angle Ave. of
the Americas (G6)
M° W 4th St. ou 6th Ave.
☎ (212) 533 22 33
www.frenchroastnyc.com
Comptez entre $15 et $27.
• L'Express
(Union Square)
249 Park Ave. South,
angle E 20th St. (B4)
M° 23rd St.
☎ (212) 254 58 58
www.lexpressnyc.com
Comptez entre $12 et $26.

Café Habana

17 Prince St., angle Elizabeth St. (H7)
M° Prince St.
☎ (212) 625 20 01
www.cafehabana.com
T. l. j. 9h-minuit
Plat principal : $10,50-$16,50.

Ce café cubain, sans doute le plus réputé de la ville, offre des plats traditionnels divins et bon marché ! Parmi les classiques : les *huevos rancheros* ou l'émincé de porc rôti avec riz et haricots rouges. Il vous faudra un peu de patience pour obtenir une table ou une place au comptoir.

Once Upon a Tart

135 Sullivan St., entre Houston St. et Prince St. (H7)
M° Spring St. ou Prince St.
☎ (212) 387 88 69
www.onceuponatart.com
Lun.-ven. 8h-19h,
sam.-dim. 9h-18h
Tarte salée : env. $7,50.

Quelques tables vous invitent à faire une pause déjeuner ou goûter dans ce petit café-boulangerie de SoHo. Au menu, de délicieux sandwichs, des tartes salées, des salades et des soupes. Tout est fait maison, y compris les gâteaux (scones, muffins), à tester d'urgence !

Voir aussi Rice to Riches *(p. 23).*

Greenwich Village / West Village
Visite 7 – p. 24

The Spotted Pig

314 W 11th St., angle Greenwich St. (G6)
M° 14th St. ou 8th Ave.
☎ (212) 620 03 93
www.thespottedpig.com
Lun.-ven. 12h-2h,
sam.-dim. 11h-2h
Plat principal : $20-$30.

Installée sur deux étages dans un paisible coin du West Village,

cette adresse est fort appréciée par les habitants du quartier. Des plats simples et originaux, aux influences anglaises, pour un rapport qualité-prix imbattable ! C'est sans doute le seul endroit où vous pourrez déguster un hamburger au roquefort ! Seul inconvénient, succès oblige, l'attente pour avoir une table peut parfois être longue…

Mary's Fish Camp

64 Charles St., angle W 4th St. (G6)
M° Christopher St.
☎ (646) 486 21 85
www.marysfishcamp.com
Lun.-sam. 12h-15h et 18h-23h (ouvert dim. en hiver 12h-16h, horaires allongés en été)
Plat principal : env. $20.

Un petit restaurant de quartier au charme irrésistible (long bar arrondi et cuisine ouverte), dans lequel vous ne trouverez que du poisson. Huîtres ($16) ou beignets d'écrevisses en entrée, suivis d'une daurade grillée à la grecque accompagnée d'une salade de pamplemousse rose, fèves et menthe… Tout est raffiné et fort goûteux. Et en dessert, ne manquez pas le *hot fudge sundae* ($15), une glace à la vanille recouverte d'un *fudge* fait maison et de chantilly. Un pur délice…

Peanut Butter & Co

240 Sullivan St., entre Bleecker St. et W 3rd St. (H7)
M° W 4th St.
☎ (212) 677 39 95
www.ilovepeanutbutter.com
Dim.-jeu. 11h-21h,
ven.-sam. 11h-22h
Sandwich : $5,75-$8,50.

C'est le temple du *peanut butter*, l'une des gourmandises favorites des Américains ! Les plus curieux pourront goûter au sandwich beurre de cacahuète-

1 - Billy's Bakery
2 - The Spotted Pig
3 - Murray's Cheese Bar
4 - Mary's Fish Camp

bacon-salade-tomate, tandis que les gourmands opteront pour le beurre de cacahuète-pâte chocolat-noisette ou le beurre de cacahuète-banane-miel.

Murray's Cheese Bar

246 Bleecker St., entre Morton et Cornelia St. (G7)
M° 4th St.
☎ (646) 476 88 82
www.murrayscheesebar.com
Lun.-mar. 12h-22h,
mer.-dim. 12h-minuit
Plat : $12-$18.

À deux pas de la fromagerie du même nom, ce bar à fromages propose des petits plats de saison (asperges grillées et burrata, carottes rôties au yaourt fumé…), des salades au roquefort ou au fromage de brebis grec, des sandwichs au chèvre, des mac & cheese, des assortiments de fromages et de charcuterie, sans oublier le Murray's Burger. Le king of cheese version américaine !

Minetta Tavern

113 MacDougal St., entre Bleecker et W 3rd St. (H7)
M° W 4th St.
☎ (212) 475 38 50
www.minettatavernny.com

Lunch : mer.-ven. 12h-15h ;
brunch : sam.-dim. 11h-15h ;
dinner : dim.-mer. 17h30-minuit,
jeu.-sam. 17h30-1h
Plat principal : $20-$30.

Ouverte en 1932, la brasserie mythique de Greenwich Village, un brin huppée, a vu défiler une pléiade d'écrivains et de poètes dont Ernest Hemingway et Dylan Thomas. Plafond en fer gaufré, banquettes en moleskine, fresques, caricatures et vieilles photos pour le décor, carpaccio de veau, terrine de foie gras, pied de porc pané ou Minetta Burger dans l'assiette. Réservez !

Voir aussi Caffe Reggio (p. 25).

Chelsea et Meatpacking District
Visite 8 – p. 26

Billy's Bakery

184 9th Ave., entre W 21st et W 22nd St. (A4)
M° 23rd St.
☎ (212) 647 99 56

www.billysbakerynyc.com
Lun.-jeu. 8h30-23h, ven. 8h30-minuit, sam. 9h-minuit, dim. 9h-21h.

Les parfums de gâteaux embaument cette pâtisserie rétro aux couleurs pastel où les New-Yorkais font le plein de pâtisseries américaines traditionnelles : tartes aux pommes, cupcakes ($3,25), cookies et cheese-cakes à l'ancienne. Un vrai délice !

Le Grainne Cafe

183 9th Ave.,
entre 21st et 22nd St. (A4)
M° 23rd St.
☎ (646) 486 30 00
www.legrainnecafe.com
T. l. j. 8h-minuit
Sandwich : $11-$16.

Doté d'une terrasse aux beaux jours, ce petit café aux accents parisiens occupe l'une des plus vieilles maisons en brique de Chelsea. Soupe à l'oignon, sandwichs, croque-monsieur, plats

1 - Paradou
2 - La Bonbonnière
3 - Blue Smoke
4 - Blue Water Grill

de pâtes et risotto, curry de crevettes au lait de coco, crêpes salées ou sucrées… Une bonne option pour déjeuner dans le quartier.

Tia Pol

205 10th Ave.,
entre 22nd et 23rd St. (A4)
M° 23rd St.
☎ (212) 675 88 05
www.tiapol.com
Lun. 17h30-23h, mar.-jeu.
12h-15h et 17h30-23h,
ven. 12h-15h et 17h30-minuit,
sam. 11h-15h et 17h30-minuit,
dim. 11h-15h et 17h30-22h30
Tapas : $4-$16.

Voici un authentique restaurant de tapas avec une carte très complète, à laquelle il faut ajouter une sélection de tapas du jour. Le *chorizo al jerez*, les *pinchos morunos* (brochettes d'agneau), les assiettes de jambon et de fromage ou les *gambas à l'ail* font partie des incontournables. Également quelques fromages et desserts aux saveurs ibériques. La carte des vins est très bien fournie, mais le vin au verre est entre $10 et $14… l'addition monte très vite !

Don Giovanni

214 10th Ave., entre 22nd et 23rd St. (A4)
M° 23rd St.
☎ (212) 242 90 54
www.dongiovanni-ny.com

Dim.-jeu. 11h30-minuit,
ven.-sam. 11h30-1h
Pizza : $9,95-$13,95 ;
pâtes : $9,95-$16,95.

Décoré de vieilles photos d'opéras et de guirlandes lumineuses, ce petit restaurant italien propose un grand choix de pâtes et de pizzas au four. Ambiance décontractée sur fond de chansons napolitaines.

Gansevoort Market

52 Gansevoort St., entre
Washington et Greenwich St. (A4)
M° 8th Ave.-14th St.
☎ (212) 242 17 01
www.gansmarket.com
T. l. j. 8h-20h.

Nouveau temple des *foodies*, le Gansevoort Market a déposé ses petits stands gourmands dans un ancien abattoir de Meatpacking. Au menu, des cuisines des quatre coins du globe :

pizzas, charcuterie italienne, tacos, cuisine thaïe, sushis, plats colombiens, barbecue, bar à homard ou à boîtes de conserve, yaourts grecs, crêpes… C'est frais, délicieux et étonnamment bon marché pour le quartier. Bel espace lumineux avec verrière au plafond pour s'attabler.

La Bonbonnière

28 8th Ave., entre W 12th St.
et Jane St. (G6)
M° 8th Ave.-14th St.
☎ (212) 741 92 66
T. l. j. 7h-22h
Paiement en espèces uniquement.

Pour un breakfast-brunch à l'américaine, voilà un *diner* typique, vieux de soixante-quinze ans et encore dans son jus, où l'on pourra engloutir sur le comptoir en Formica de délicieux *blueberry pancakes* ou une paire de *french-toasts* imbibés de beurre fondu. Une adresse bon marché et sans chichis chérie des New-Yorkais et aux antipodes des standards chic de Meatpacking !

Paradou

8 Little W 12th St., entre
Washington St. et 9th Ave. (A4)
M° 14th St. ou 8th Ave.
☎ (212) 463 83 45
www.paradounyc.com
Lun.-ven. 18h-minuit,
sam. 11h-minuit, dim. 11h-19h
(f. lun. en hiver)
Plat principal : $21-$29.

Ce petit restaurant français possède un avantage énorme : un vaste jardin protégé de la rue, une perle rare une fois les beaux jours venus ! Outre quelques plats qui rappellent la Provence, la carte propose des mets typiques comme l'entrecôte et son gratin, les cuisses de grenouille et le steak tartare, et de délicieuses crêpes en dessert. Une suggestion : testez le flan de Grand-Mère avec sa compote de fruits des bois et sa madeleine au basilic !

Corner Bistro

331 W 4th St., angle Jane St. (G6)
M° 14th St. ou 8th Ave.
☎ (212) 242 95 02
www.cornerbistrony.com
Lun.-sam. 11h30-3h, dim. 12h-3h
Hamburger : $7,75-$9,75.

L'adresse est légendaire pour ses hamburgers, considérés comme parmi les meilleurs de New York ! L'endroit est minuscule, et vous serez servi dans des assiettes en carton. Mais c'est le prix d'une expérience new-yorkaise authentique et incontournable dans ce qui est appelé un bohemian bar.

Cafe Gitane

113 Jane St., angle West St. (A4)
☎ (212) 255 41 13

www.cafegitanenyc.com
Dim.-jeu. 7h-minuit,
ven.-sam. 7h-1h
Plat : de $13-$29.

L'annexe du célèbre café de NoLIta a trouvé refuge au sein du Jane Hotel, connu pour avoir accueilli les rescapés du *Titanic* : un espace ravissant et lumineux, parsemé de meubles vintage dépareillés, avec vue sur l'Hudson River. Enfoncezvous dans un gros fauteuil de velours pour siroter un thé à la menthe ou attablez-vous pour son brunch très couru (cuisine franco-marocaine). Dans ce repaire de looks branchés, on croise aussi des célébrités…

Voir aussi Chelsea Market (p. 27).

Flatiron District
Visite 9 – p. 28

Blue Water Grill

31 Union Square West,
angle 16th St. (B4)
M° 14th St.-Union Square
☎ (212) 675 95 00
www.bluewatergrillnyc.com
Lun. 11h30-22h, mar.-jeu. 11h30-23h, ven.-sam. 11h30-minuit,
dim. 10h30-22h
Plat principal : env. $26-$30.

Ce restaurant de poisson très smart, parmi les plus fréquentés de Manhattan, présente un grand choix de poissons grillés pour les puristes. Au sous-sol, le Jazz Room, où le dîner est servi tous les soirs à 18h devant un groupe de musiciens de jazz (résa recommandée). Autre rendez-vous très prisé : le Sunday Jazz Brunch (dim. 11h30-15h).

Blue Smoke

116 E 27th St., entre Park Ave.
et Lexington Ave. (B4)
M° 28th St.
☎ (212) 447 77 33
www.bluesmoke.com

Dim.-lun. 11h30-22h,
mar.-jeu. 11h30-23h,
ven.-sam. 11h30-minuit
Plat principal : $18-$30.

Une très bonne adresse pour les amateurs de viande ! Plutôt sélect, ce restaurant de barbecue met à l'honneur, outre les bourbons, différentes traditions de barbecue et de viandes fumées du Sud américain : *pulled pork shoulder* (porc effiloché), *baby back ribs* (côtes de porc), *rubbed brisket* (poitrine de bœuf), servis avec des *mac & cheese* ou des *collard greens*. Au sous-sol, le Jazz Standard compte parmi les meilleurs clubs de jazz (concerts lun.-jeu. à 19h30 et 22h, ven.-sam. à 19h30, 22h et 23h45 ; $25-$40 ; sur résa).

Eataly

200 5th Ave., angle 23rd St. (B4)
M° 23rd St.
☎ (212) 229 25 60
www.eatalyny.com
T. l. j. 10h-23h.

Ce petit coin d'Italie du Flatiron District est une destination gourmande très prisée des New-Yorkais ! Il compte sept restaurants, un *beer garden*, une pâtisserie, une école de cuisine et un marché gourmand… De quoi trouver votre bonheur !

The City Bakery

3 W 18th St., entre 5th Ave.
et Ave. of the Americas (B4)
M° 14th St.-Union Square
☎ (212) 366 14 14
www.thecitybakery.com
Lun.-ven. 7h30-19h,
sam. 8h-19h, dim. 9h-18h
Assiette composée :
env. $14 les 500 g.

Un espace immense avec, en son centre, le coin pâtisseries qui propose de belles surprises, comme les cookies au *peanut butter* ou les *pretzels croissant*, et dans le fond un buffet de plats et de salades que vous paierez au poids. Tout est frais, original et délicieux. Il est interdit de repartir sans avoir goûté à la spécialité de la maison : le chocolat chaud dans lequel on laisse fondre un marshmallow !

Voir aussi **Shake Shack** *(p. 29).*

Voir aussi Shake Shack (p. 29).

Empire State Building / Garment District
Visite 10 – p. 30

The Cannibal Beer & Butcher

113 E 29th St., entre Park et Lexington Ave. (B3)
M° 28th St.
☎ (212) 686 54 80
www.thecannibalnyc.com
T. l. j. 11h-23h30
Plat : $11-$17.

Une affolante collection de bières artisanales (entre 400 et 500 !) aux saveurs surprenantes et du porc travaillé maison, voilà le concept simple mais efficace de cette adresse pour carnivores branchés. Pâtés, terrines, saucisses, boudins, tête de cochon grillée, hot dog, jambon de campagne... à déguster au comptoir ou dans la cour couverte, décorée en hommage au Tour de France.

Hangawi

12 E 32nd St., entre 5th et Madison Ave. (B3)
M° 33rd St.
☎ (212) 213 00 77
www.hangawirestaurant.com
Lun.-ven. 12h-14h30 et 17h-22h15, sam. 13h-22h30, dim. 17h-21h30
Plat lunch : $10-$18, dîner : $18-$30.

Musique douce, serveuses gracieuses, tables basses et petits coussins... Ce délicieux restaurant végétarien de Koreatown

est un cocon zen au milieu de la frénésie new-yorkaise. Après avoir laissé vos chaussures à l'entrée, laissez-vous surprendre par une infinité de petits plats aux saveurs exotiques et inattendues.

Keko Café

121 Madison Ave., entre E 30th et 31st St. (B3)
M° 33rd St.
☎ (212) 685 43 60
www.eatkekocafenyc.com
T. l. j. 7h30-19h
Plat : env. $12.

Bienvenu pour caler les petits creux, ce café de poche propose de très bonnes soupes, salades (Caesar, grecque...), sandwichs (poulet cajun, aubergines rôties, mozza...), crêpes et quiches maison. On peut aussi opter pour un couscous tunisien ou une pizza norvégienne. Thés, cafés et smoothies pour la pause d'après-midi.

Voir aussi **Garrett** *(p. 31).*

Voir aussi Garrett (p. 31).

Midtown West, de Times Square à Fifth Avenue
Visite 11 – p. 32

Shake Shack

691 8th Ave., angle 44th St. (A3)
M° 42nd St./Port Authority Bus Terminal
☎ (646) 435 0135
www.shakeshack.com
T. l. j. 11h-minuit
Burger : $5,19-$9,49.

Au cœur du Theater District, l'un des fast-foods du chef star Danny Meyer où l'on se régale des meilleurs burgers de New York, de hot dogs et de glaces vanille ou chocolat. Même si on préfère l'ambiance du Shake Shack de Madison Square Park (voir p. 29), l'adresse offre une bonne alternative aux restaurants ruineux du quartier !

Virgil's Real BBQ

152 W 44th St., entre Ave. of the Americas et Broadway (B3)
M° 42nd St.-Bryant Park
☎ (212) 921 94 94
www.virgilsbbq.com
Lun. 11h30-23h, mar.-ven. 11h30-minuit, sam. 11h-minuit, dim. 11h-23h
Plat principal : $21-$26.

Beaucoup plus populaire et bruyant que le Blue Smoke, ce restaurant de barbecue propose une cuisine moins raffinée mais tout aussi goûteuse, avec une carte plus fournie. Parmi les spécialités, les Po' Boys (sandwichs garnis de grillades, env. $15).

Empanada Mama

763 9th Ave., entre 51st et 52nd St. (A2)
M° 50th St.
☎ (212) 698 90 08
www.empmamanyc.com
T. l. j. 24h/24
Empanadas : $3,50.

La carte de ce petit restaurant propose surtout des empanadas, ces friands si populaires en Amérique latine ! Parmi les incontournables : le brasil (bœuf, olives, oignons et pommes de terre), le shredded chicken colombien (poulet, pois et carottes) et le viagra (crevettes, noix de Saint-Jacques et crabe).

Burger Joint

Hotel Park Meridien
119 W 56th St., entre Ave. of the Americas et 7th Ave. (B2)
M° 57th St.
☎ (212) 708 74 14
www.burgerjointny.com
Dim.-jeu. 11h-23h30, ven.-sam. 11h-minuit
Hamburger : $8-$16.

Caché derrière un rideau dans le hall de l'hôtel, ce fast-food de poche peinturluré de graffitis

1 - Carnegie Deli
2 - The Cannibal Beer & Butcher
3 - Mangia

attire chaque jour une foule de gourmands avec ses excellents burgers. L'attente peut être très longue, alors, petit conseil, faites votre choix avant d'arriver au comptoir, vous risquez sinon de retourner dans la queue ! Une deuxième adresse à Greenwich Village (33 W 8th St., ☎ (212) 332 14 00).

Carnegie Deli

854 7th Ave., angle 55th St. (A2/B2)
M° 7th Ave. ou 57th Ave.
☎ (212) 757 22 45
www.carnegiedeli.com
T. l. j. 6h30-2h
Sandwich : $13-$30.

Popularisé par le film de Woody Allen *Broadway Danny Rose*, le Carnegie Deli, ouvert en 1937, est le *delicatessen* le plus prisé de Manhattan. On y sert des sandwichs très haut de gamme (le « Woody Allen » est le plus célèbre, $29,99), mais aussi des spécialités ashkénazes : *blintzes* (friands), *matzoh balls* (bouillon avec des boulettes à base de *matzot*), etc.

Mangia

50 W 57th St., entre 5th Ave. et Ave. of the Americas (B2)
M° 5th Ave. ou 57 St.
☎ (212) 582 58 82
www.mangiamidtownwest.com

Lun.-ven. 8h-19h30, sam. 8h-16h
Sandwich : $8-$12 ; plat chaud : $8-$14 : assiette composée : env. $12 les 500 g.

Mangia est le *salad bar* par excellence, un concept typique de New York. Le principe ? Un buffet où vous avez le choix entre sandwichs, pizzas, plats chauds et salades à composer soi-même. Tout est très bon et le choix est colossal.

« 21 » Club

21 W 52nd St., entre 5th Ave. et Ave. of the Americas (B2)
M° Rockefeller Center
☎ (212) 582 72 00
www.21club.com
• Bar Room : lun.-jeu. 12h-14h30 et 17h30-22h, ven.-sam. 12h-14h30 et 17h30-23h
Plat principal : $30-$56 ; menus lunch et *pre-theater* : $34, $42 et $48
Tenue correcte exigée.

Reconnaissable à ses statues de jockeys en façade, le 21 n'est pas un club privé mais l'un des plus fameux *speakeasy* (bar clandestin à l'époque de la Prohibi-

tion) du New York des années 1930. Encombré de jouets rétro, son restaurant mythique, le Bar Room, a vu défiler une myriade de célébrités, des Marx Brothers à Ernest Hemingway, et tous les présidents des États-Unis. On y déguste une cuisine américaine raffinée et chère, dont le fameux 21 Burger à $36 !

Voir aussi **Ellen's Stardust Diner** (p. 33) et **Bryant Park** (p. 35).

Midtown East, vers Grand Central Terminal
Visite 12 – p. 36

Grand Central Oyster Bar & Restaurant

Grand Central Terminal
89 E 42nd St. (B3)
M° Grand Central-42nd St.
☎ (212) 490 66 50
www.oysterbarny.com
Lun.-sam. 11h30-21h30
Plat principal : $20-$30.

Inauguré en 1913 au sous-sol de la gare, l'Oyster Bar est une institution. Dans une ambiance sombre et bruyante, on engloutit ici quelque 5 millions d'huîtres chaque année !

1 - Grand Central Oyster Bar
    & Restaurant
2 - E.A.T.
3 - Totto Ramen
4 - Candle Café

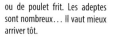

Parmi le grand choix de poissons et de fruits de mer, goûtez à la spécialité, l'*oyster pan roast* ($13,45), au menu depuis plus de 100 ans : des huîtres sur toast nageant dans une sauce à la crème au jus de palourdes. *Old-school* et 100 % New York !

Totto Ramen
248 E 52nd St.,
entre 2nd et 3rd Ave. (B2)
M° 51st St.
☎ (212) 421 00 52
www.tottoramen.com
Lun.-ven. 11h45-15h et 17h30-23h30, sam. 12h30-23h30, dim. 16h30-22h30
Soupe : $10-$15.

Totto Ramen est tout simplement l'un des meilleurs restaurants de soupes japonaises *(ramen)* de la ville. Si vous êtes fan de piquant, commandez la *spicy ramen*, c'est la plus demandée ! Vous pourrez l'accompagner de *char siu pork bun* (bun au porc vapeur)

ou de poulet frit. Les adeptes sont nombreux… Il vaut mieux arriver tôt.

Voir aussi **Ess-a-Bagel** *(p. 37).*

Upper West Side, autour du Lincoln Center
Visite 13 – p. 38

Mandarin Oriental
80 Columbus Circle, angle 60th St., entrée sur 60th St., 35e ét. (A2)
M° 59th St.-Columbus Circle
www.mandarinoriental.com/newyork
• Bar Lobby Lounge :
☎ (212) 805 88 00
T. l. j. 9h-1h, (2h ven.-sam.)
• Restaurant Asíate :
☎ (212) 805 88 81

T. l. j. 7h-22h ; sam.-dim. brunch 11h45-14h
Menu : $29 (lunch),
$95-$150 (dîner), $64 (brunch).

Cet hôtel de luxe du Time Warner Center offre une vue exceptionnelle sur Central Park ! Pour en profiter, grimpez au Lobby Lounge au 35e étage (cocktail $22), ou installez-vous à la table de l'Asíate, qui propose une cuisine fusion américaine et asiatique.

Voir aussi **Magnolia Bakery** *(p. 39)* et pensez au **Whole Food Market**, au **Bouchon Bakery** et au **Porter House** *(p. 38).*

Upper West Side et Central Park
Visite 14 – p. 40

Gray's Papaya
2090 Broadway,
entre 71st et 72nd St. (A2)
M° 72nd St.

☎ (212) 799 0243
http://grayspapayanyc.com
T. l. j. 24h/24
Hot dog : $2.

Le concept de ce fast-food culte ? Ne servir que des hot dogs et des jus de fruits tropicaux ! Les hot dogs ne sont pas les meilleurs, mais les New-Yorkais adorent ce fast-food kitsch pour un repas express à petit prix, de jour comme de nuit. Comptez env. $5 pour deux sandwichs et un jus de papaye.

Voir aussi Alice's Tea Cup *et* Zabar's *(p. 41) et pensez au* Boat Basin Café *(p. 40).*

Upper East Side / Frick Collection
Visite 15 – p. 42

Candle Café
1307 3rd Ave.,
entre 74th et 75th St. (B1)
M° 77th St.
☎ (212) 472 09 70
www.candlecafe.com
Lun.-sam. 11h30-22h30,
dim. 11h30-21h30
Salade, sandwich : env. $16.

Vous arrivez à saturation de burgers et hot dogs ? Ce restaurant 100 % veggie, bio et eco-friendly concocte de bons plats sains fraîchement préparés avec des produits de la ferme. C'est aussi un bar à jus de fruits où l'on pourra siroter un smoothie autour d'une part de carrot cake.

Voir aussi EJ's Luncheonette *(p. 43).*

Upper East Side / Museum Mile
Visite 16 – p. 44

Lexington Candy Shop
1226 Lexington Ave.,
angle 83rd St. (B1)
M° 86th St.
☎ (212) 288 00 57

www.lexingtoncandyshop.net
Lun.-sam. 7h-19h, dim. 8h-18h
Omelette : à partir de $8,50.

Vieilles machines à milk-shakes et fontaines à soda trônent encore derrière le comptoir de cette authentique *luncheonette* ouverte en 1925 ! La diner food étant assez ordinaire, allez-y plutôt pour le breakfast (bagel à partir de $1,50) ou un ice-cream soda à l'ancienne, et imaginez-vous dans le Manhattan de Woody Allen.

Café Sabarsky
Neue Galerie New York
1048 5th Ave., angle 86th St. (B1)
M° 86th St.
☎ (212) 288 06 65
www.kg-ny.com
Lun. et mer. 9h-18h,
jeu.-dim. 9h-21h
Plat principal : env. $20.

Le luxueux Café Sabarsky vous transporte dans un vieux café viennois. Les vieilles dames distinguées de l'Upper East Side s'y retrouvent pour luncher à l'autrichienne (Schnitzel, Bratwurst, Goulash Soup...) ou se pâmer devant le buffet de pâtisseries.

E.A.T.
1064 Madison Ave.,
angle 80th St. (B1)
M° 77th St.
☎ (212) 772 00 22
www.elizabar.com
T. l. j. 7h-22h
Sandwich, plat principal :
$18-$26 sur place,
$9-$20 à emporter.

Aux abords de Central Park, c'est l'adresse idéale pour préparer un pique-nique ! À côté de la partie restauration, très chère, une partie traiteur avec plats préparés, salades, sandwichs et gâteaux (testez le marble cake ou la lemon tart).

Voir aussi Sarabeth's Kitchen *(p. 45).*

Harlem
Visite 17 – p. 46

Red Rooster
310 Lenox Ave.,
entre 125th et 126th St. (D2)
M° 125th St.
☎ (212) 792 90 01
www.redroosterharlem.com
• Déjeuner : lun.-ven. 11h30-15h
• Dîner : lun.-jeu. 15h30-22h30,
ven.-sam. 15h30-23h30, dim.
15h30-22h
• Brunch : sam.-dim. 10h-15h
Plat principal : $18-$36.

Symbole du renouveau de Harlem, la table de Marcus Samuelsson se vent en poupe ! Décoré d'œuvres d'artistes locaux, le vaste espace aux airs de loft abrite un restaurant, un café, une épicerie, un bar et des tables communes. Une clientèle cosmopolite envahit les lieux pour boire un verre ou pour goûter aux saveurs de la soul food, cuisine du sud des États-Unis. Le brunch avec concerts de jazz est un must ! Réservez au moins 30 jours à l'avance pour la partie restaurant.

Amy Ruth's
113 W 116th St., entre Malcolm X et Adam Clayton Powell Jr Blvd (D3)
M° 116th St.
☎ (212) 280 87 79
www.amyruths.com
Lun. 11h-23h, mar.-jeu. 8h30-23h,
ven.-sam. 8h30-5h30,
dim. 7h30-23h
Plat : $15-$23.

Parmi les restaurants de soul food les plus réputés de Harlem, il y a Sylvia's (voir p. 47) et Amy Ruth's. Dans une ambiance de cafétéria, on y sert travers de porc, poulet frit ou BBQ (The President Barack Obama, plat star de la maison), fried jumbo shrimp (crevettes frites) et waffles géantes, des gaufres garnies de poulet ou de saucisse de porc.

Voir aussi Sylvia's *(p. 47).*

Brooklyn
Visite 18 – p. 48

Jacques Torres Chocolate

66 Water St., entre Dock St. et Main St. (C6)
M° York St.
☎ (718) 875 12 69
www.mrchocolate.com
Lun.-sam. 9h-20h, dim. 10h-18h.

Impossible de résister aux délices de Mr Chocolate, le *Frenchy* adoré des New-Yorkais ! Offrez-vous un *chocolat chaud et un Chocolate Chip Cookie* avant de fondre pour une boîte de petites bouchées artisanales à emporter dans la boutique attenante à la chocolaterie.

Junior's

386 Flatbush Ave., angle De Kalb Ave. (D6)
M° De Kalb Ave.
☎ (718) 852 52 57
www.juniorscheesecake.com
Dim.-jeu. 6h30-minuit, ven.-sam. 6h30-1h
Plat principal, sandwich : $7,95-$15,95 ; cheese-cake : $6,95.

Ouvert en 1950, le célèbre *diner* rétro de Brooklyn a la réputation de confectionner le meilleur *cheese-cake* de New York et propose tous les *grands classiques du delicatessen* en portions généreuses. Un second restaurant a ouvert ses portes à Times Square (W 45th St., entre Broadway et 8th Ave., A3, ☎ (212) 302 20 00, mêmes horaires).

Heights Café

84 Montague St., angle Hicks St. (C6)
M° Court St. ou Borough Hall
☎ (718) 625 55 55
www.heightscafeny.com
Lun.-ven. 12h-22h30, sam. 11h-23h, dim. 10h-22h30 (23h en été)
Brunch : sam.-dim. 11h
Plat principal : $13-$16 (dîner $20).

À quelques pas de la célèbre promenade de Brooklyn Heights (voir p. 49), ce café est *le rendez-vous des habitants du quartier*. En été, une grande terrasse offre une plus-value au lieu. On y sert une classique *cuisine américaine* : *Caesar salad*, hamburger, *crabcake* (boulettes de crabe).

Voir aussi **Brooklyn Ice Cream Factory** *(p. 49).*

Williamsburg
Visite 19 – p. 50

Diner

85 Broadway, angle Berry St. (D5)
M° Marcy Ave.
☎ (718) 486 30 77
www.dinernyc.com
Dim.-jeu. 11h-minuit, ven.-sam. 11h-1h
Plat : $12-$17.

Installé dans un vieux wagon des années 1920 avec petits box de traviole et comptoir d'époque, ce *diner* rétro séduit les jeunes branchés avec ses *petits plats inventifs et goûteux,* renouvelés tous les jours. C'est l'un des meilleurs points de chute pour bruncher le week-end et s'imprégner de l'ambiance cool de Williamsburg.

Marlow & Sons

81 Broadway, entre Berry et Whyte St. (D5)
M° Marcy Ave.
☎ (718) 384 14 41
www.marlowandsons.com
T. l. j. 8h-23h/minuit
Plat lunch : $13-$24.

Cocktails rétro, huîtres et cuisine de gourmet américano-méditerranéenne (renouvelée tous les jours) sont au menu de ce joli bistrot tout boisé. Tenu par les mêmes propriétaires que le Diner voisin, Marlow & Sons est l'une des tables favorites des locaux.

Roberta's

261 Moore St., entre White et Bogart St. (E5)
M° Morgan Ave.
☎ (718) 417 11 18
www.robertaspizza.com
Lun.-ven. 11h-minuit, sam.-dim. 10h-minuit
Pizza : $10-$16.

Les pizzas *absolutely delicious* de Roberta's, à la pâte fine et croustillante, valent bien le trajet en métro ! Niché dans un ancien hangar à l'est de Williamsburg, ce restaurant aussi *roots* que cool a de nombreux fans et attire aussi bien les *hipsters* que les gourmets avec sa *cuisine locavore,* simple et diablement goûteuse. Outre les pizzas, on y sert d'excellents burgers, pâtes et plats végétariens.

Fette Sau

354 Metropolitan Ave., entre Havemeyer et Roebling St. (D5)
M° Bedford Ave.
☎ (718) 963 34 04
www.fettesaubbq.com
Lun.-jeu. 17h-23h, ven.-dim. 12h-23h
Autour de $25.

Une longue file se forme chaque soir devant cet ancien garage brut de décoffrage. Entre le *beer garden* version Brooklyn et le barbecue texan, on y dévore sans chichis de la viande fumée (steaks, *ribs*, pastrami...), accompagnée de *baked beans* (haricots blancs cuits au four), de salade de patates ou de broccolis, et de bière artisanale vendue au gallon. Vaut surtout pour l'ambiance de cantine survoltée !

Juliette

135 N 5th St., niveau Bedford Ave. (D4)
M° Bedford Ave.
☎ (718) 388 92 22

1 - Roberta's
2 - Amy Ruth's
3 - Diner
4 - Marlow & Sons

www.juliettewilliamsburg.com
T. l. j. 10h30-23h (minuit ven.-sam.)
Plat principal : $14-$25.

Le délicieux décor de vieux bistrot parisien, la musique rétro et la cuisine honnête (sandwichs, tajines ou Juliette Burger) ont fait de ce café-bar-restaurant l'une des adresses les plus populaires du quartier. Le brunch est très couru et, aux beaux jours, on goûte à la dolce vita brooklynienne sur la terrasse du toit.

Peter Luger Steak House

178 Broadway, entre Bedford St. et Driggs Ave. (D5)
M° Marcy Ave.
☎ (718) 387 74 00
www.peterluger.com
Lun.-jeu. 11h45-21h45, ven.-sam. 11h45-22h45, dim. 12h45-21h45
Plat principal : $85-$100
Paiement en espèces uniquement
Résa obligatoire.

Bien que fort onéreuse, il serait vraiment dommage de venir

à New York sans tenter l'expérience du *steakhouse*. Et dans ce domaine, Peter Luger est la référence de la ville. Ici, on vient pour le steak (faux-filet, aloyau, entrecôte), incroyablement savoureux, et rien d'autre, si ce n'est les frites servies en accompagnement, tout aussi succulentes ! Autre spécialité de la maison, leur irrésistible *Steak House Old fashioned sauce* (sorte de ketchup hautement amélioré).

Voir aussi **Surf Bar** (p. 51).

Queens
Visite 20 – p. 52

Tournesol

50-12 Vernon Blvd,
entre 50th et 51st Ave. (HP par C2)
M° Vernon Blvd-Jackson Ave.
☎ (718) 472 43 55
www.tournesolnyc.com
Lun. 17h30-23h, mar.-jeu. 11h30-15h et 17h30-23h, ven. 11h30-15h et 17h30-23h30, sam. 11h-15h30 et 17h30-23h30, dim. 11h-15h30 et 17h-22h
Plat principal : $17-$25
Paiement en espèces ou carte Amex.

Ce restaurant français propose une cuisine de bistrot très réussie et abordable ! Des moules, des pâtes, des salades ou des steaks-frites, mais aussi des plats du jour (coq au vin). Une ambiance familiale et sans prétention, très éloignée des restaurants français de Manhattan !

Voir aussi **Sage General Store** (p. 53).

Croquer
la Grosse Pomme

Non, New York n'est pas synonyme de *junk food,* et ce serait une injure de réduire sa cuisine au simple hamburger ! Ici, la nourriture est multiple, créative et variée, à l'image de sa population. Que ce soit sur le pouce, dans la rue ou attablés au restaurant, les New-Yorkais aiment manger, et à toute heure !

Ethnic food

Reflet de sa mosaïque ethnique, New York vous sert le monde sur un plateau ! Vous ferez le plein de *dim sum* (les tapas version chinoise) et de *dumplings* (raviolis)

à Chinatown. Vous mangerez des sushis à Little Tokyo ou un tandoori à Little India dans East Village, un *bulgogi* à Koreatown (voir p. 31), une feijoada à Little Brazil (vers 46th St., entre 5th et 7th Ave.),

une *spanakopita* à Astoria ou du caviar russe à Little Odessa. Harlem a son Little Senegal mais est surtout prisé pour sa *soul food* rustique, héritée des esclaves noirs des plantations : *chicken wings, seafood gumbo soup* (bouillabaisse version cajun), viandes grillées et *collard green* (chou vert), maïs beurré…

Delicatessen

Les institutions comme Katz's Deli (voir p. 80), Junior's (voir p. 92) et Carnegie Deli (voir p. 89) proposent les classiques de la *Jewish food,* cuisine juive d'Europe de l'Est : sandwichs géants au pastrami (tranches de poitrine de bœuf fumée) ou au corned-beef, bagels garnis de *cream cheese* et de saumon, *blintzes* (crêpes fourrées) et *knishes,* bouchées de pomme de terre accompagnées de *coleslaw* (salade de chou blanc) et pickles (gros cornichons marinés).

Hamburgers

Le burger est une véritable institution à New York ! Classique ou inventif, il est partout, à tous les prix et se déguste à toute heure, au détour d'un *food truck,* dans un vieux bistrot populaire ou à la table chic d'un grand restaurant. Le petit sandwich né à Hambourg aurait fait le voyage jusqu'en Amérique avec les immigrés allemands au XIXe s.

Le cérémonial du brunch

Il n'est pas rare de faire la queue pour décrocher une table à l'heure du brunch, les New-Yorkais en sont accros ! Servi le dimanche entre 11h et 16h, le menu affiche les classiques de l'*American breakfast* : *french toast* (pain perdu), *waffles* (gaufres), pancakes (crêpes), *eggs Benedict* (œufs pochés, tranche de jambon ou de saumon et *English muffin*), *grits* (bouillie de maïs héritée des Indiens)… que l'on arrose d'un cocktail mimosa (champagne et jus d'orange) ou de bloody mary.

Green Apple

Salad bars et *soup bars* combleront les adeptes de l'*healthy food*. Après la vague *veggie* (végétarienne), *vegan* (végétalienne), *raw food* (crudivore) et *organic* (bio), les New-Yorkais ont une nouvelle devise, consommer local ! Potagers bio et miel

fabriqué sur les toits de New York, fermes urbaines et *farmers markets* proposant des produits de la vallée de l'Hudson (voir Union Square Greenmarket p. 29), brasseries artisanales (voir Brooklyn Brewery p. 50) et marchés de gourmets où l'on se régale d'une cuisine 100 % locale (voir Smorgasburg p. 121), le mouvement locavore, issu du Brooklyn écolo, n'est plus une tendance mais un mode de vie !

Street food

Partout vous croiserez des *carts*, ces chariots ambulants vadrouillant dans les rues de *Big Apple* vendant hot dogs, petits plats indiens ou bretzels. Pratiques pour caler les petites faims mais pas toujours attrayants… Les *foodies* leurs préfèrent les *food trucks,* des camions nomades proposant

une cuisine de gourmet plus variée : cuisines du monde entier, pâtisseries américaines, barbecues bio… Pour les traquer, rendez-vous sur les sites http://newyorkstreet food.com et http://roaming hunger.com/ny

Ice cream et pâtisseries

À l'heure du goûter, vous aurez le choix : *doughnuts* (beignets sucrés), brownies, cupcakes, *whoopie pies* (biscuit fourré d'origine amish), cheese-cakes et une infinie variété de tartes et cakes de grand-mère : *blueberry pie, carrot cake*… à goûter chez Magnolia Bakery (voir p. 39) ou Billy's Bakery (voir p. 85). Inventeurs du cornet de glace comestible, les New-Yorkais résistent rarement à la douce musique des *ice cream trucks* sillonnant la ville.

Les mots pour le dire

To stay or to go ? : « sur place ou à emporter ? »
Le menu : entrée (*appetizer* ou *starter*), plat principal *(entree)*, dessert *(dessert)*, assaisonnement *(dressing)*. Attention, les *specials* (plats du jour) sont plus chers que les plats à la carte.
Cuisson de la viande : saignante (*rare* ou *extra rare*), à point *(medium)* ou bien cuite *(well done)*.
Cuisson des œufs : au plat *(sunny side-up)*, brouillés *(scrambled)*, mollets *(soft-boiled)* ou durs *(hard-boiled)*.

Shopping
mode d'emploi

Horaires d'ouverture et soldes

Presque tous les magasins sont ouverts entre 11h et 19h (jusqu'à 21h souvent le jeudi). Certaines boutiques, notamment à Wall Street, ouvrent dès 7h30, mais sont fermées le week-end. La plupart des magasins ouvrent le dimanche. Les soldes de janvier et de juillet sont institutionnels, mais d'autres périodes méritent votre attention : *Black Friday* (« vendredi noir ») le lendemain de Thanksgiving (dernier jeudi de novembre), *President's Day* (3e lundi de février), dernier lundi du mois de mai et week-end qui suit *Labor Day* (1er lundi de septembre). **Soyez à l'affût des *Doorbuster* et *Early bird sale*,** synonymes de bonnes affaires.

Payer ses achats

Les prix sont toujours affichés, mais sont **des prix hors taxe.** Celle-ci s'élève à 8,875 %, sauf pour les vêtements et les chaussures de moins de $110, qui sont détaxés. Le **marchandage** se pratique parfois dans les petites boutiques d'électronique, de hi-fi et de photo, mais reste peu fréquent. En revanche, en proposant de payer cash, vous pourrez peut-être économiser le montant de la taxe ! La plupart des commerçants acceptent les **cartes internationales de paiement,** mais certains vous demanderont une pièce d'identité. Au moment de payer, répondez toujours « *Credit* » à la question « *Debit or credit ?* ».

SE REPÉRER

Nous avons indiqué pour chaque adresse Shopping sa localisation sur le plan général (B2, G8…). Pour un repérage plus facile en préparant votre week-end ou lors de vos balades, nous avons signalé sur le plan par un symbole rouge toutes les adresses de ce chapitre. Le numéro en rouge signale la page où elles sont décrites.

Ouvrez l'œil !

Soyez vigilant pour **la hi-fi, la photo, l'électronique** et les imitations de grandes marques. La plupart des boutiques douteuses se trouvent aux abords de 42nd St., dans le quartier de Times Square. La facture d'achat est indispensable : elle pourra vous être demandée à la douane.

Les coups de cœur
de notre auteur

New York, LE paradis des *shopping addicts* et des fashionistas ! Du vintage, de l'idée déco, de la boutique de créateurs... Notre auteur s'est régalée !

Pippin Vintage Jewelry

Bowne & Co. Stationers
Mes petits cadeaux 100 % Grosse Pomme ? Je les déniche dans cette imprimerie rétro (p. 118).

Pippin Vintage Jewelry
Un boudoir fourmillant d'adorables bijoux. Je craque à tous les coups (p. 101) !

J.J. Hat Center
Rien que pour le plaisir d'essayer un Stetson chez ce chapelier historique (p. 101).

American Two Shot
Mon baromètre pour flairer les dernières tendances de la mode new-yorkaise (p. 99).

Beacon's Closet
Le bon plan pour faire le plein de fringues vintage sans me ruiner ? Je file à Williamsburg (p. 50).

John Derian Company
Des objets poétiques et touchants : ma cueillette d'idées fraîches pour la maison (p. 112).

American Two Shots

House of Oldies

House of Oldies
Une échoppe débordante de vinyles oubliés, dans laquelle je peux fouiller pendant des heures (p. 117).

Obscura
Mix'n'match d'objets étranges pour mes envies de flirt avec le kitsch (p. 113).

Mode
femme

New York est la capitale de la mode aux États-Unis. Les plus grands couturiers se concentrent sur Madison et la Cinquième Avenue, tandis que les jeunes stylistes branchés ou excentriques préfèrent NoLIta, SoHo, le Lower East Side, le West Village, l'East Village et certains quartiers de Brooklyn. La plupart des créateurs américains sont aussi représentés dans les grands magasins (voir p. 114).

créateurs américains émergents, on y vient aussi pour les collections exclusives dessinées par des artistes (Spike Jonze, Chloë Sevigny, etc.) pour la maison. Entre pièces vintage et de créateurs, c'est l'adresse des fashionistas ultrapointues.

Anna Sui

113 Greene St., entre Spring St. et Prince St. (H7)
M° Spring St. ou Prince St.
☎ (212) 941 84 06
www.annasui.com
Lun.-sam. 11h-19h, dim. 12h-18h.

Anna Sui est l'une des coqueluches de SoHo : top

models et stars y font leurs emplettes (de $200 à $1 000 pour une robe). Dans un beau boudoir tapissé de velours noir, cette styliste vend des vêtements branchés et avant-gardistes, coupés dans de belles matières : velours, tissus moirés, soie… mais aussi une belle sélection de chaussures et d'accessoires.

Opening Ceremony

33 et 35 Howard St., entre Broadway et Lafayette St. (H8)
M° Canal St.
☎ (212) 219 26 88
www.openingceremony.us
Lun.-sam. 11h-20h, dim. 12h-19h.

Ce concept store est un incontournable pour découvrir les dernières tendances new-yorkaises ! Superbe vitrine des

Anthropologie

375 W Broadway, entre Broome St. et Spring St. (H7)
M° Canal St.
☎ (212) 343 70 70
www.anthropologie.com
Lun.-sam. 10h-21h, dim.10h-20h.

Au sein d'un gigantesque loft aménagé en grenier chic, Anthropologie propose des vêtements pour femmes à la fois ultraféminins et décontractés (comptez env. $170 pour une robe). On y trouve aussi de la lingerie, de la vaisselle et des petits objets de décoration (boutons de porte, cadres…) aux allures de brocante.

Cynthia Rowley

376 Bleecker St., entre Perry St. et Charles St. (G6)
M° Christopher St.
☎ (212) 242 38 03
www.cynthiarowley.com
Lun.-ven. 10h-20h,
sam.-dim. 11h-20h.

Le décor chic rétro de ce magasin met en valeur les vêtements branchés et les accessoires rétro : robes glamour (de $189 à $480), pantalons taille basse aux couleurs vives, sacs à main vintage. L'univers ultraféminin de cette créatrice new-yorkaise est à découvrir…

The Dressing Room

75A Orchard St., entre Broome St. et Grand St. (I7)
M° Essex St.
☎ (212) 966 73 30
www.thedressingroomnyc.com
Mar.-mer. 13h-minuit, jeu.-sam. 13h-2h, dim. 13h30-20h.

Doublé d'un bar à cocktails, ce placard *shabby-chic* est rempli de bijoux et vêtements de jeunes créateurs new-yorkais (tee-shirt $30), de fringues et chaussures vintage, et de magazines d'art, de mode et de musique. Il faut fouiller pour trouver les pièces intéressantes. Le lieu accueille

DJ sets, projections de films et *shopping parties*.

American Two Shot

135 Grand St., entre Crosby St. et Lafayette St. (H7-8)
M° Canal St.
☎ (212) 925 34 03
www.americantwoshot.com
Lun.-sam.11h-20h, dim. 13h-19h.

La *cool culture* a trouvé refuge dans cette boutique originale imaginée par Stephanie Krasnoff et Olivia Wolfe. Dans un décor industriel peint en blanc, elles mixent avec brio vêtements de créateurs, pièces vintage et objets fun en tout genre. On peut s'y arrêter pour un café, pour les expos d'art ou pour les *DJ sessions*.

Victoria's Secret

911 Ave. of the Americas, angle 34th St. (B3)
M° 34th St.-Herald Square
☎ (212) 356 83 80
www.victoriassecret.com
Lun.-sam. 9h-21h30,
dim. 11h-20h30.

Victoria's Secret est la marque de lingerie la plus populaire aux États-Unis. Des ensembles ultrasexy ou en coton fleuri, de très beaux bodys, un joli choix de guêpières et une gamme très variée de déshabillés dans des matières actuelles. Vous trouverez également du parfum et une collection de collants. À partir de $32 pour un soutien-gorge et de $38 pour une nuisette.

Les grands créateurs

Boutiques sublimes et vêtements hors de prix : petite sélection des incontournables de la création new-yorkaise… pour rêver ou faire une petite folie !

• **Alexander Wang** : 103 Grand St., angle Mercer St. (H7)
M° Canal St. – ☎ (212) 977 96 83
Lun.-sam. 11h-19h, dim. 12h-18h.

• **DKNY** : 655 Madison Ave., angle 60th St. (B2) – M° 5th Ave. ou 59th St.
☎ (212) 223 35 69 – Lun.-sam. 10h-20h, dim. 11h-19h.

• **Marc Jacobs** : 403 Bleecker St., angle W 11th St. (G6) – M° 14th St.
☎ (212) 924 00 26 (boutique femme) ; 382 Bleecker St. (G6)
☎ (212) 929 03 04 (boutique homme) ; lun.-sam. 11h-19h, dim. 12h-18h.

• **Calvin Klein** : 654 Madison Ave., angle 60th St. (B2)
M° 5th Ave. ou 59th St. – ☎ (212) 292 90 00
Lun.-sam. 10h-18h (19h jeu.), dim. 12h-18h.

• **Ralph Lauren** : 888 Madison Ave. et 72nd St. (B2)
M° 68th St.-Hunter College – ☎ (212) 434 80 00
Lun.-sam. 10h-19h, dim. 11h-18h.

Chaussures,
sacs et chapeaux

Les New-Yorkais raffolent des accessoires de mode, des plus classiques aux plus extravagants, qui égaient ou personnalisent une tenue. À chaque coin de rue, vous tomberez sur un magasin de chaussures, de sacs ou de bijoux. Certains recèlent de véritables trésors, alliant créativité, originalité et qualité.

Le choix est époustouflant, il y en a pour tous les goûts, pour les femmes comme pour les hommes.

CHAUSSURES

John Fluevog

250 Mulberry St.,
angle Prince St. (H7)
M° Prince St.
☎ (212) 431 44 84
www.fluevog.com
Lun.-sam. 11h-20h, dim. 12h-19h.

Avant-garde ou streetwear, les chaussures de John Fluevog sont superbranchées mais toujours élégantes. Ses créations feront le bonheur de celles qui aiment les semelles compensées, les matières folles et les couleurs délirantes. John Fluevog dessine en exclusivité chacun de ses modèles avec, en prime, des semelles entièrement naturelles en caoutchouc

végétal ! Comptez tout de même autour de $250 pour une paire de chaussures.

Designer Shoes Warehouse

Union Square, 40 E 14th St.
(1er ét.), entre University Place et Broadway (H6)
M° Union Square
☎ (212) 674 21 46
www.dsw.com
Lun.-sam. 10h-21h30, dim. 10h-20h.

Imaginez un immense magasin façon entrepôt, rempli de chaussures de grandes marques, de New Balance à Gucci, et vendues avec des rabais de 10 à 70 %. DSW, c'est un peu le paradis sur terre pour les fétichistes de la chaussure !

SACS

High*Way

238 Mott St., entre Prince St. et Spring St. (H7)
M° Prince St.
☎ (212) 966 43 88
www.highwaybuzz.com
T. l. j. 11h-19h.

Associant matières, couleurs et détails ultraraffinés, la créatrice

Jem Leaf crée des sacs haut de gamme minimalistes et stylés. Elle n'hésite pas à agrémenter ses créations d'une broderie d'inspiration japonaise ou d'un petit logo pop art… à la fois simples et stylés. Très pratiques avec leurs nombreuses poches zippées, sacs à main ou en bandoulière sont proposés en nylon (à partir de $94), cuir ou tissu avec une très jolie palette de coloris, allant du noir basique aux tons les plus flashy.

Native Leather

203 Bleecker St., entre
MacDougal St. et Ave. of the
Americas (G7/H7)
M° 4th St.
☎ (212) 614 32 54
www.nativeleathernyc.com
Lun.-sam. 12h-19h, dim. 13h-19h.

Au cœur de West Village, ce petit Far West déborde de chemises brodées, gilets à franges, chapeaux de cow-boys (Stetson env. $80) et d'articles en cuir de très bonne qualité : sandales faites main, ceintures à boucle

Hopi ou Navajo, sacs et sacoches en pagaille. Soyez attentif, on peut y dénicher d'authentiques reliques hippies des années 1970 comme du *made in China*…

Love Shine

543 E 6th St., entre Ave. A
et Ave. B (I6)
M° 2nd Ave.
☎ (212) 387 09 35
www.loveshinenyc.com
T. l. j. 13h-21h.

Cette boutique-atelier très originale reflète merveilleusement l'ambiance « artisanale » d'East Village. Mark Seamon et Richard Green y fabriquent des sacs et accessoires (de $40 à $92) dans des matières inattendues et très colorées. Que ce soit avec de la toile cirée aux tons acidulés (venue tout droit du Mexique) ou de la fausse fourrure, ils créent sacs à dos, portefeuilles ($24-$32), trousses de toilette ou encore sacs à main de manière très inventive.

CHAPEAUX

The Hat Shop

120 Thompson St.,
angle Prince St. (H7)
M° Spring St.
☎ (212) 219 14 45
http://thehatshopnyc.com
Lun.-sam. 12h-19h, dim. 13h-18h
(f. lun. janv.-fév. et août.-sept.).

Hauts-de-forme, capelines, chapeaux cloches, *trilbys* en feutre, parures de tête à voilette… la collection maison s'expose aux côtés des créations d'une trentaine de modistes new-yorkais ($200-$400). On peut s'y offrir un modèle sur mesure et customisé à son goût et repartir tête haute sa boîte à chapeau sous le bras.

J.J. Hat Center

310 5th Ave., entre 31st
et 32nd St. (B3)
M° 33rd St.
☎ (212) 239 43 68
www.jjhatcenter.com
Lun.-ven. 9h-18h,
sam. 9h30-17h30.

Vous pénétrez dans la plus vieille boutique de chapeaux de New York encore en activité (1911). Dans les vitrines, le légendaire Stetson en feutre, à modeler façon cow-boy ou gangster de la Prohibition, côtoie chapeaux de paille, *trilbys*, bérets (à partir de $45) et autres casquettes en tweed. Jetez un œil à l'atelier au fond de la boutique, où l'on fabrique les modèles maison.

Pippin Vintage Jewelry

Vitrines lambrissées et meubles à tiroirs fourmillent de bijoux vintage de l'époque victorienne aux années 1980. Il y en a pour tous les goûts et les prix sont très *friendly* pour Manhattan, avec beaucoup de pièces autour de $30-$40 et des bagues à partir de $6. Petits sacs en cuir, carrés de soie, gants et bibis rétro seront autant de tentations ! La chine se poursuit dans l'arrière-cour truffée d'objets délicats au charme suranné.

112 W 17th St., entre 6th et 7th Ave. (B4) – M° 18th St.
☎ (212) 505 51 59 – http://pippinvintage.com
Lun.-sam. 11h-19h, dim. 12h-18h.

Mode
homme

Manhattan est réputée pour être la capitale du vêtement pour hommes. Les plus grands créateurs présentent ici leurs collections. Même les hommes les plus réticents à faire du shopping seront séduits par la diversité des styles proposés : classique, *preppy*, *British*, sportswear, etc.

In God We Trust

• 265 Lafayette St.,
entre Prince St. et Spring St. (H7)
M° Spring St.
☎ (212) 966 90 10
• 129 Bedford Ave.,
entre N 9th et N 10th St. (D4)
M° Bedford Ave.
☎ (718) 384 0700
www.ingodwetrustnyc.com
Lun.-sam. 12h-20h,
dim. 12h-19h.

C'est l'antre du *Brooklyn style* ! In God We Trust dessine vêtements pour homme et femme, accessoires et bijoux, intégralement fabriqués à New York, le tout dans un style épuré un brin vintage. Pour ces messieurs, un tas d'accessoires élégants à glaner, comme ces cravates The Hill-side, boutons de manchettes, pochettes et sacs en cuir. Chemises $130-$200.

Freemans Sporting Club

8 Rivington St., entre Bowery et Chrystie St. (I7)
M° Bowery
☎ (212) 673 32 09
freemanssportingclub.com
Lun.-ven. 11h-20h, sam. 10h-19h, dim. 10h-18h.

L'adresse fétiche des dandys branchés séduits par le *made in* local artisanal, les matières solides et les coupes intemporelles. Costumes près du corps, chemises (notre coup de cœur !), denims ($220), chinos, derbys et boots en cuir incarnent le plus pur style urbain new-yorkais.

Odin

328 E 11th St.,
entre 2nd et 1st Ave. (I6)
M° 1st Ave.
☎ (212) 475 06 66
www.odinnewyork.com
Lun.-sam. 12h-20h, dim. 12h-19h.

Une adresse dont les jeunes hommes s'empareront avec plaisir ! Vous y trouverez de tout : costumes, pulls, chemises, tee-shirts, chaussures, baskets, ceintures, chapeaux… Dans un style chic et décontracté, un brin fashion, un brin sportswear, Odin propose une sélection raffinée de vêtements et accessoires de créateurs américains, japonais et scandinaves.

Brooks Brothers incarne le style américain classique. Née à New York en 1818, c'est la plus ancienne marque de prêt-à-porter du pays. On pourra s'y offrir une cravate ($55-$190), un caleçon ultraconfortable ($28) ou un costume raffiné dans le sillage des présidents américains, de Fred Astaire, d'Andy Warhol ou de Kurt Cobain.

Unis

226 Elizabeth St., entre E Houston et Prince St. (H7)
M° Prince St.
☎ (212) 431 55 33
www.unisnewyork.com
Lun.-sam. 11h-19h, dim. 12h-18h.

Entre le classique et le cool, Unis taille des silhouettes actuelles à renfort de chinos aux tons doux, de chemises à petits carreaux et de tee-shirts en coton ($52) made in California. La tendance est au *color block* et à la coupe slim. Côté accessoires, des chaussettes japonaises flashy, des lunettes aviateur, de belles besaces en toile et cuir, et les produits de beauté Malin+Goetz (voir p. 111).

J. Crew

484 Broadway, angle Broome St. (H7)
M° Prince St.
☎ (212) 343 12 27
www.jcrew.com
Lun.-sam. 10h-20h, dim. 11h-19h.

Les adeptes du style *preppy* ou du cool chic vont pouvoir étoffer leur garde-robe. La célèbre marque américaine propose des vêtements à la fois soignés, dans l'air du temps et abordables (jean env. $100). **Boutique femme** au 99 Prince St. (H7). Même les filles Obama ont craqué !

Kenneth Cole

595 Broadway, entre Houston et Prince St. (H7)
M° Broadway-Lafayette
☎ (212) 965 02 83
www.kennethcole.com

Lun.-ven. 10h-20h, sam. 10h-21h, dim. 11h-19h
Tee-shirts env. $35-$45.

Un style à la fois classique et branché pour cette marque américaine qui habille aussi bien les hommes que les femmes. Les matières sont d'excellente qualité, et les prix varient sensiblement d'un modèle à l'autre. Également un grand choix d'accessoires : lunettes, ceintures, chaussures...

Brooks Brothers

346 Madison Ave., angle E 44th St. (B3)
M° 5th Ave.-Bryant Park
☎ (212) 682 88 00
www.brooksbrothers.com
Lun.-ven. 8h-20h, sam. 9h-19h, dim. 11h-19h.

Steven Alan

140 10th Ave., entre 18th et 19th St. (A4)
☎ (646) 664 06 06
www.stevenalan.com
Lun.-mer. et ven.-sam. 11h-19h, jeu. 11h-20h, dim. 12h-18h.

Le créateur new-yorkais s'est fait un nom en offrant une vitrine aux créateurs émergents puis en créant sa propre ligne de vêtements pour hommes et femmes. Sa recette ? *Twister* les *basics* américains pour un *casual wear* à la marge. Ces messieurs trouveront ici l'incontournable chemise à couture inversée (env. $178) qui a fait le succès de la marque, et ces dames de jolies robes en coton aux imprimés très frais.

Les marques préférées des ados

Magasins bondés, décibels poussés à fond... teenagers et jeunes adultes raffolent de ces chaînes américaines !

• **Forever 21** : fringues tendance à prix mini.
40 E 14th St., entre University Place et Broadway (H6)
M° 14th St. Union Sq.
☎ (212) 228 05 98 – www.forever21.com – T. l. j. 8h-23h.

• **Urban Outfitters** : gadgets et mode *hipsters*.
526 Ave. of the Americas, angle 14th St. (G6) – M° 14th St.
☎ (646) 638 16 46 – www.urbanoutfitters.com
T. l. j. 10h-22h.

• **Abercrombie & Fitch** : *casual* haut de gamme et vendeurs bodybuildés...
720 5th Ave., angle W 56th St. (B2) – M° 57th St. – ☎ (212) 306 09 36
www.abercrombie.com – Lun.-sam. 10h-20h, dim. 11h-18h.

• **Hollister** : le style californien, moins cher qu'Abercrombie.
668 5th Ave., entre W 52nd et W 53rd St. (B2) – M° 5th Ave.-53rd St.
☎ (646) 924 25 55 – www.hollisterco.com – Lun.-sam. 10h-20h, dim. 11h-18h.

Le coin
des *kids*

Faire du shopping à New York pour les petits et les plus grands est un vrai plaisir tant les boutiques sont nombreuses, surtout dans les quartiers de SoHo et de TriBeCa, qui proposent des modèles très fashion ; ce qui, bien sûr, fait grimper les prix. Tous les grands magasins possèdent aussi un important rayon de vêtements pour enfants.

Sweet William

85 Kenmare St., entre Mulberry St. et Cleveland Place (H7)
M° Spring St.
☎ (212) 343 73 01
www.sweetwilliamltd.com
Lun.-ven. 11h-19h,
sam.-dim. 12h-19h.

On y habille les canailles *hipsters* de 0 à 10 ans avec des créateurs de Brooklyn, des articles bio et issus du commerce équitable ou des marques françaises et scandinaves en exclusivité. Des barbotteuses aux imprimés rétro et aux jouets en bois en passant par les peluches, tout est adorable.

Lucky Wang

799 Broadway,
entre 10th et 11th St. (H6)
M° 8th St.
☎ (212) 353 28 50
www.luckywang.com
Lun.-sam. 11h-19h, dim. 12h-18h.

Enfin une boutique vraiment singulière qui propose des modèles stylés que vous ne trouverez nulle part ailleurs (et certainement pas dans les grandes chaînes). La star du magasin est le *Kawaii Kimono* (à partir de $34) décliné dans différents tissus à croquer ! Lucky Wang habille les petits de la naissance à 8 ans.

Space Kiddets

26 E 22nd St., entre Broadway et Park Ave. (B4)
M° 23rd St.
☎ (212) 420 98 78
www.spacekiddets.com
Lun.-mar. et ven.-sam. 10h30-18h, mer.-jeu. 10h30-19h,
dim. 11h-17h.

L'endroit rêvé pour trouver absolument tout pour vos enfants : des jouets gadgets (de $7 à $60) aux tétines, le

tout au beau milieu d'une jolie sélection de vêtements de 0 à 13 ans. Les chaussons et les chaussures de ville voisinent avec les petites bottes de pluie fantaisie. Vous pourrez aussi déguiser vos enfants, car vous êtes ici au royaume de la panoplie !

Kidding Around

60 W 15th St., entre 6th et 5th Ave. (H6)
M° 14th St.
☎ (212) 645 63 37
www.kiddingaroundtoys.us
Lun.-sam. 10h-19h, dim. 11h-18h.

Kidding Around est une véritable mine d'or : jouets (depuis le plus jeune âge jusqu'à 12 ans), vêtements, farces et attrapes, peluches, jeux de société, gadgets… Les petites filles se régaleront au coin déguisement (costumes à partir de $30) avec un grand choix de couronnes et autres accessoires pour cheveux (à partir de $2,99).

Yoya

605 Hudson St., entre W 12th St. et Bethune St. (G6)
M° 8th Ave.-14th St.
☎ (646) 336 68 44
www.yoyanyc.com
Mai-oct. : lun.-sam. 11h-19h, dim.-12h-17h ; nov.-avr. : lun.-ven. 10h-18h, sam. 11h-19h ; dim. 12h-17h.

Yoya propose vêtements, meubles, objets, jouets, livres et accessoires, tous plus stylés les uns que les autres. Malgré des prix élevés (à partir de $40), difficile de ne pas craquer devant ces tuniques hippies colorées signées Yoya, AntikBatik ou Siao Mimi. Il y a également un coin pour les mamans !

Shoofly

42 Hudson St., entre Thomas St. et Duane St. (H8)
M° Chambers St.
www.shooflynyc.com
☎ (212) 406 32 70
Lun.-sam. 10h-19h, dim. 12h-18h.

Au cœur de TriBeCa, ce magasin est dédié aux pieds de vos bambins (de $40 à $200) : chaussures, bottes, sandales, baskets, chaussons… Les marques les plus originales sont toutes là. Entre grenouillères et tutus flashy, c'est aussi une mine d'accessoires : chaussettes, lunettes, barrettes…

Balloon Saloon

133 W Broadway, angle Duane St. (H8)
M° Chambers St.
☎ (212) 227 38 38
www.balloonsaloon.com
T. l. j. 9h-19h.

Cette institution de TriBeCa remporte la palme du fun. Il s'agit du fournisseur officiel des ballons géants de la célèbre parade de Macy's (voir p. 5). Des ballons pour toutes les occasions gonflés à l'hélium (à partir de $2) flottent au plafond de ce bazar coloré et surchargé de gadgets, jouets et farces et attrapes (env. $3-$4). Les enfants vont adorer.

Tiny Doll House

314 E 78th St., entre 2nd et 1st Ave. (B1)
☎ (212) 744 37 19
www.tinydollhouseny.com
Lun.-jeu. 11h-16h30, ven.-sam. 11h-16h.

Un magasin spécialiste des maisons de poupées miniatures et des objets qui les accompagnent. Enfants et collectionneurs s'émerveillent devant les vitrines aux mises en scène méticuleuses : nursery victorienne et ses jouets, intérieur de manoir géorgien, mamies sirotant du thé dans des porcelaines fleuries. De la brosse à dents au lit à baldaquin, meubles ($1-$2 000) et accessoires sont faits main avec une extrême précision.

Des jouets comme s'il en pleuvait

Gigantisme, exubérance, choix invraisemblable… Malgré leur côté « usine à jouets », ces temples du divertissement leur en mettront plein les mirettes !

• **Toys'R'Us** pour la grande roue et le dinosaure rugissant (voir p. 33).
• **Lego Store** pour les constructions délirantes et le *Pick a Brick Wall*.
620 5th Ave., angle 50th St. (B3) – M° 47th-50th St.
☎ (212) 245 59 73 – http://stores.lego.com
Lun.-sam. 10h-20h, dim. 10h-18h.
• **American Girl Place** pour voir la vie en rose au royaume des poupées.
609 5th Ave., angle 49th St. (B3) – M° 47th-50th St.
☎ (877) 247 52 23 – www.americangirl.com
Lun.-jeu. 10h-19h, ven. 10h-21h, sam. 9h-21h, dim. 9h-19h.

Vintage
et *second hand*

Des boutiques chic où butinent les stars aux entrepôts fouillis remplis de pièces délirantes, les accros du rétro auront l'embarras du choix. Mais sachez qu'à New York, vintage, *thrift*, *second hand* ou *cheap* riment souvent avec prix très élevés. Vous ferez de meilleures affaires dans les friperies de Brooklyn comme Beacon's Closet (voir p. 50) qu'à Manhattan.

Allan & Suzi
237 Centre St., entre Grand St. et Broome St. (H7)
M° Canal St.
☎ (212) 724 74 45

www.allanandsuzi.com
T. l. j. 12h30-18h30 (18h dim.).

C'est ici que la plupart des mannequins revendent leurs vêtements haute couture. On trouve très facilement des tailleurs Alaïa ou Chanel, des robes du soir de Mugler ou de Gaultier. Les vêtements sont toujours en excellent état, et même si ça n'est pas donné (de $20 à $10 000), on peut faire des affaires. Le rayon chaussures est superbe, il mêle modèles classiques, chic et excentriques.

Dusty Buttons
441 E 9th St., entre 1st Ave. et Ave. A (I6)
M° 1st Ave.
☎ (212) 673 40 39
www.dustybuttons.com
Lun.-ven. 12h-20h,
sam. 13h-19h, dim. 12h-18h.

Cette petite échoppe intimiste prône le retour du glamour. Entre bijoux, sacs et accessoires d'un autre temps, des pièces sélectionnées avec soin pour sublimer les courbes féminines :

tops en soie des années 1930, fourreaux des années 1940, robes de cocktails *fifties* ($98-$250)... On y trouve aussi du neuf comme ces robes de créateurs américains et ces chaussures d'inspiration rétro.

Amarcord

252 Lafayette St., entre Prince St. et Spring St. (H7)
M° Spring St.
☎ (212) 431 41 61
www.amarcordvintage
fashion.com
Lun.-sam. 12h-19h30,
dim. 12h-19h.

Patti Bordoni et Marco Liotta ont fait de leur petite boutique de NoLIta l'antre chic de la mode vintage italienne des années 1940 à 1990. De leurs voyages, ils rapportent vêtements, chaussures (entre $75 et $500), sacs et accessoires signés Roberto Cavalli, Versace, Pucci, Fendi ou Valentino. Une sélection pointue qui a valu à la coqueluche des magazines de mode d'habiller les actrices de *Sex and the City*.

What Goes Around Comes Around

351 W Broadway, entre Grand St. et Broome St. (H7)
M° Spring St.
☎ (212) 343 12 25
www.whatgoesaroundnyc.com
Lun.-sam. 12h-20h, dim. 12h-19h.

C'est l'adresse référence pour dénicher du vintage pointu (comptez un peu moins de $100 pour un tee-shirt) des années 1880 à 1990. On s'affole devant le plus grand stock de *denims* des USA et les raretés comme ces salopettes d'ouvriers. Pour les garçons, vestes de la marine américaine, blousons de *bikers*, Stetson et santiags. Pour les filles, les indispensables pour un look Calamity Jane ou hippie chic.

Screaming Mimi's

382 Lafayette St., entre 4th St. et Great Jones St. (H6-7)
M° Astor Place
☎ (212) 677 64 64
www.screamingmimis.com
Lun.-sam. 12h-20h, dim. 13h-19h.

Des fripes de qualité des années 1940 à 1980 idéalement

classées par époques ou par thèmes. Vous pourrez vous y fabriquer un look hype de la tête aux pieds (grand choix de bijoux et de chaussures de $20 à $300) ou dénicher des pièces de créateurs collectors ou des fantaisies kitsch : uniforme de *girl scout*, *prom dress* (robe de bal) années 1980, costume de fanfare, robe de patineuse...

INA

• **Femmes : 21 Prince St., entre Elizabeth et Mott St. (H7)**
☎ (212) 334 90 48
• **Hommes : 19 Prince St. (H7)**
☎ (212) 334 22 10
M° Prince St.
www.inanyc.com
Lun.-sam. 12h-20h, dim.12h-19h.

Chez INA, vous trouverez de nombreux vêtements dont les mannequins se séparent. Des robes de soirée en excellent état de stylistes reconnus sont vendues à partir de $100 (jusqu'à $1 000 !) ; ainsi qu'une petite collection de chaussures à partir de $101 (on trouve des grandes tailles). Et vous pourrez coordonner vos tenues au rayon accessoires. Une adresse très branchée (donc chère) où se ruent toutes les *fashion victims*.

Le top des marchés aux puces

• **Brooklyn Flea (plusieurs sites) – www.brooklynflea.com** (lieu unique en hiver, se renseigner pour les horaires) :

Fort Greene Flea : 176 Lafayette Ave., entre Clermont et Vanderbilt Ave. (D6) – M° Clinton-Washington Ave. Avr.-nov. : sam. 10h-17h

Williamsburg Flea : 50 Kent Ave., entre N 11th et 12th St. (D4) M° Bedford Ave. – Avr.-nov. : dim. 10h-17h.

• **Chelsea Flea Market**
W 25th St., entre 6th Ave. et Broadway (B4) – M° 23rd St.
☎ (212) 243 53 43 – www.annexmarkets.com
Sam.-dim. 9h-18h – Entrée : $1.

• **Hell's Kitchen Flea Market**
W 39th St., entre 9th et 10th Ave. (A3) – M° 42nd St.
www.annexmarkets.com – Sam.-dim. 9h-17h.

• **GreenFlea Market on Colombus Avenue**
100 W 77th St., entre Colombus et Amsterdam Ave. (A1) – M° 79th St.
☎ (212) 239 30 25 – www.greenfleamarkets.com – Dim. 10h-17h30.

Streetwear
et sportswear

Accros de sport (partout on croise joggeurs, cyclistes, skateurs ou basketteurs), les New-Yorkais ont lancé la mode du sportswear il y a bien longtemps. Popularisée par les skateurs et le mouvement hip-hop au début des années 1990, la tendance streetwear est devenue synonyme d'élégance cool et urbaine. Denims, sneakers, polos, *hoodies* (sweat-shirts à capuche), *snapbacks* (casquettes)… toutes les bonnes adresses pour adopter les codes du *street style* new-yorkais.

Community 54

186 Ave. B, entre 11th
et 12th St. (I6)
M° 1st Ave.
☎ (212) 673 70 60
http://community54.com
T. l. j. 12h-19h.
Cette boutique *so cool*, avec ses jeux d'arcade et ses graffitis dans l'arrière-cour, est l'antre du streetwear vintage des années 1980 et 1990. Les *bad boys* s'y concoctent un look hip-hop pointu avec des marques indépendantes et confidentielles (tee-shirts à partir de $30).

Flight Club

812 Broadway, entre 11th St.
et 12th St. (H6)
M° 8th St.
☎ (888) 937 80 20
www.flightclub.com
T. l. j. 12h-20h.

Les collectionneurs de baskets ne manqueront pas le plus grand dépôt-vente de sneakers au monde ! De nombreux modèles Nike, Vans, New Balance, Converse (à partir de $35) sont introuvables ailleurs. Et le choix de casquettes des équipes de baseball et de football américain (à partir de $10) est étourdissant.

Saturdays Surf NYC

31 Crosby St., entre Broome St.
et Grand St. (H7)
M° Spring St.
☎ (212) 966 78 75
www.saturdaysnyc.com
T. l. j. 10h-19h.
Le premier *surf shop* de New York propose sa propre ligne de vêtements pour hommes entre planches de surf et combinaisons. Marinières, chemises à carreaux, tee-shirts graphiques ($40), sweats à capuche, mais aussi sacs, livres et œuvres d'art ne séduiront pas

que les *beach boys*. Les *good vibrations* se prolongent avec un café dans l'arrière-cour.

The Reed Space

151 Orchard St., entre Stanton et Rivington St. (I7)
M° 2nd Ave.
☎ (212) 253 05 88
http://thereedspace.com
Lun.-ven. 13h-19h,
sam.-dim. 12h-19h.

C'est l'autre incontournable du streetwear et de la mode hip-hop, offrant un choix pointu de vêtements homme et femme (tee-shirts à partir de $34). Également des casquettes aux imprimés comics, des baskets et accessoires, ainsi qu'une bonne sélection de magazines, livres, CD, posters, jouets design et appareils photo.

Token

258 Elizabeth St.,
entre Houston St. et Prince St. (H7)
M° Broadway-Lafayette St.
☎ (212) 226 96 55
www.tokenbags.com
Lun.-sam. 11h-19h,
dim. 11h-18h.

Lancée en 1980, la marque de sacs en toile Manhattan Portage est devenue plus

que célèbre grâce à ses *messenger bags* ($35-$245). Déclinés dans une large gamme de couleurs et de formes, ces fameux sacs de livreur en bandoulière à scratch ont conquis le monde entier. Aujourd'hui, la marque Token lance une seconde ligne de sacs, encore plus mode, plus chic, dans des matières qui vont de la toile au cuir. Token est le dépositaire de ces deux marques.

Converse

560 Broadway, angle Prince St. (H7)
M° Prince St.
☎ (212) 966 10 99
www.converse.com
Lun.-ven. 10h-20h, sam. 10h-21h,
dim. 11h-19h.

L'unique magasin new-yorkais de la célèbre marque américaine a ouvert ses portes dans SoHo. Vous y découvrirez la plus grande collection de la légendaire basket en textile (dès $50), de vêtements (jeans à partir de $58) et d'accessoires avec quantité de modèles introuvables ailleurs. Les plus créatifs pourront personnaliser leurs sneakers achetées sur place avec un graphisme de leur invention.

Niketown

6 E 57th St., entre Madison Ave. et 5th Ave. (B2)
M° 5th Ave.-59th St.
☎ (212) 891 64 53
www.store.nike.com
Lun.-sam. 10h-20h, dim. 11h-19h.
La démesure façon Nike. Derrière une façade aux allures de vieux gymnase, cinq étages uniquement dédiés à la marque ! Comptez en moyenne $100 pour une paire de baskets.

Supreme

274 Lafayette St.,
angle Prince St. (H7)
M° Prince St. ou Spring St.
☎ (212) 966 77 99
www.supremenewyork.com
Lun.-jeu. 11h30-19h, ven.-sam.
11h-19h30, dim. 12h-18h.

Le *skate-shop* mythique de New York est la référence mondiale du streetwear avec ses collections toujours très attendues. Skaters et *hipsters* s'arrachent les séries limitées de la marque réalisées par des artistes avant-gardistes : *boards* (dès $140), tee-shirts arty…

Denim

- **Levi's Store** : les modèles de la marque légendaire ($64-$128).
  495 Broadway, angle Broome St. (H7) – M° Broadway-Lafayette St.
  ☎ (646) 613 18 47 – www.levi.com
  Lun.-sam. 10h-21h, dim. 11h-20h.

- **Lucky Brand**
  172 5th Ave., angle W 22nd St. (B4) – M° 23rd St.
  ☎ (917) 606 14 18 – www.luckybrand.com
  Lun.-sam. 10h-20h, dim. 11h-19h.

Pour des Levi's, Wrangler et Calvin Klein à prix soldés :
- **OMG**
  408 Broadway, entre Canal St. et Walker St. (H8) – M° Canal St.
  ☎ (212) 966 66 20 – www.omgjeans.com
  Lun.-sam. 9h-21h, dim. 10h-20h.

- **Dave's New York**
  581 Ave. of the Americas, entre 16th et 17th St. (B4) – M° 14th St.
  ☎ (212) 989 64 44 – www.davesnewyork.com
  Lun.-ven. 9h-19h, sam. 10h-18h, dim. 11h-17h.

American Beauty

Les New-Yorkaises sont coquettes jusqu'au bout des ongles et aiment se faire chouchouter. On trouve à tous les coins de rue des instituts de soins, *nail salons* (salons de manucure souvent moins chers qu'en France), *barber shops* (grand retour de mode chez les *boys* branchés) et supermarchés de la cosmétique comme Ricky's. Faites un saut dans leurs boutiques préférées pour chiper leurs secrets de beauté.

MAKE-UP

Face Stockholm

Time Warner Center, 10 Columbus Circle, entre Columbus Circle et W 58th St. (A2)
M° 59th St.-Columbus Circle
☎ (212) 823 94 15
www.facestockholm.com
Lun.-sam. 10h-21h, dim. 11h-19h.

Pistez le cylindre de verre au rez-de-chaussée du Time Warner Center et vous y êtes ! Les produits de maquillage professionnel de la Suédoise Gun Nowak sont irrésistibles : fards à paupières aux couleurs flashy, rouges à lèvres mats ($22), vernis à ongles éclatants et fonds de teint exceptionnellement fluides pour se payer une frimousse fraîche ou carrément *poppy*.

Nars

413 Bleecker St., entre Bank St. et W 11th St. (G6)
M° Christopher St.
☎ (646) 459 23 23
www.narscosmetics.com
Lun.-sam. 11h-20h, dim. 12h-18h.

Le Français François Nars a débuté en vendant ses rouges à lèvres chez Barneys. Depuis, la marque new-yorkaise de cosmétiques haut de gamme connaît un succès fou. West Village abrite la première boutique Nars, où vous trouverez tous les produits cultes comme l'incontournable Blush Orgasm ($30) et la ligne Nars 413 BLKR.

MAC

506 Broadway, entre Spring St. et Broome St. (H7)
M° Spring St. ou Prince St.
☎ (212) 334 46 41
www.maccosmetics.com
Lun.-sam. 10h-21h, dim. 11h-20h.

Make-up Art Cosmetics a été lancé en 1984 par deux maquilleurs canadiens professionnels. Depuis, cette marque connaît un succès international, notamment grâce à ses rouges à lèvres et à ses ombres à paupières déclinés dans des couleurs originales avec plus de cent teintes différentes ! À partir de $16 pour une ombre à paupières ou pour un rouge à lèvres.

PRODUITS
DE BEAUTÉ

Kiehl's

109 3rd Ave., angle 13th St. (H6)
M° 3rd Ave. ou
14th St.-Union Square
☎ (212) 677 31 71
www.kiehls.com
Lun.-sam. 10h-20h, dim. 11h-18h.

Impossible de venir à New York
sans passer par cette institution
présente depuis 1851 ! Testez
leurs baumes pour les lèvres (env.
$9) ou leurs crèmes pour le corps
(à partir de $20). Vous ne serez
pas déçu par la qualité.

Le Labo

233 Elizabeth St., entre Prince St.
et Houston St. (H7)
M° Prince St. ou Bleecker St.
☎ (212) 219 22 30
www.lelabofragrances.com
T. l. j. 11h-19h.

Vous entrez ici dans un labo,
mais pas n'importe lequel.
Il s'agit d'un laboratoire de luxe
dans lequel on vous préparera,
à partir des fragrances proposées
(pas de personnalisation),
votre propre eau de toilette,
votre lait pour le corps ou votre
huile de beauté. Aucun produit
n'est stocké, tout est fait à la
demande. Les fragrances sont
plus qu'alléchantes : rose,
fleur d'oranger, bergamote,
ambrette ou encore vétiver.
Mais tout cela a un prix :

comptez $65 pour un lait
corporel de 237 ml !

C.O. Bigelow

414 Ave. of the Americas,
entre W 8th et W 9th St. (G6)
M° Christopher St.
☎ (212) 533 27 00
www.bigelowchemists.com
Lun.-ven. 7h30-21h, sam. 8h30-
19h, dim. et j. f. 8h30-17h30.

Ouverte en 1838, la plus
ancienne pharmacie de New York
a conservé son décor d'époque.
Allez-y pour ses parfums et
produits de beauté maison très
appréciés, comme le baume
à lèvres à la rose ($6) ou la *body
cream* au citron ($19,50). Vous
y dénicherez aussi toutes sortes
de crèmes, lotions et savons
américains aux emballages rétro.

Malin+Goetz

177 7th Ave.,
entre 20th et 21st St. (A4/B4)
M° 18th St.
☎ (212) 727 37 77
www.malinandgoetz.com
Lun.-ven. 11h-20h, sam. 12h-20h,
dim. 12h-18h.

Entre labo moderne et
apothicaire rétro, la boutique
du fameux duo new-yorkais
est devenue incontournable.
Le concept ? Des produits maison
nettoyants et hydratants très
doux pour l'épiderme, à base
d'ingrédients naturels, garantis
sans colorants, détergents ou
parfums synthétiques. Idéal pour

les peaux sensibles ! Parmi les
best-sellers, le *grapefruit face
cleanser* ($32) et le déodorant
à l'eucalyptus ($20).

Soapology

67 8th Ave.,
entre 13th et 14th St. (G6)
M° 8th Ave.
☎ (212) 255 76 27
www.soapologynyc.com
T. l. j. 10h-22h.

Cette boutique propose une
large gamme de soins pour le
visage et pour le corps made
in Brooklyn à base de produits
naturels. Un bar à huiles
essentielles vous permet
également de créer votre propre
lotion en mêlant vos parfums
préférés : gardénia, concombre,
sucre vanillé, tabac et caramel,
ou encore pamplemousse...
elles sont toutes divines. Essayez
leur extraordinaire beurre pour
le corps (*buttercream*, $28).

Fellow Barber

Les messieurs ont aussi le droit de se faire chouchouter ! Fellow
Barber a relancé la mode du *barber shop* à l'ancienne, et c'est
tant mieux. Installez-vous dans un fauteuil années 1930, et
vous voilà fin prêt pour un rasage *old-fashioned* ($50) ou pour
un *hangover treatment* ($25) : application de serviettes chaudes
et froides imprégnées d'eau de rose ou d'eucalyptus. Un remède
contre la gueule de bois très demandé le week-end !

5 Horatio St., entre W 4th St. et 8th Ave. (G6) – M° 8th Ave.-14th St.
☎ (212) 929 39 17 – www.fellowbarber.com
Lun.-ven. 9h-21h, sam.-dim. 9h-18h.

Maison
et décoration

Home Sweet Home pourrait être la devise des New-Yorkais tant ils attachent d'importance à l'aménagement de leur intérieur. Les boutiques de décoration proposent des produits intéressants dans le domaine du linge de maison (coton d'excellente qualité à prix doux), de la vaisselle et plus généralement tout ce qui touche à la cuisine.

John Derian Company

6-10 E 2nd St., entre Bowery
et 2nd Ave. (I7)
M° Lower East Side-2nd Ave.
☎ (212) 677 39 17
www.johnderian.com
Mar.-dim. 11h-19h
(f. dim. en août, ouvert lun. en
déc.).

Cette boutique fleure bon la campagne chic et regorge de superbes objets déco. Dans son studio new-yorkais, John Derian découpe et colle de vieilles images représentant insectes, fleurs et animaux, cartes postales Belle Époque, coupures de journaux et cahiers d'écolier pour créer de luxueux objets contemporains (à partir de $48) : vaisselle, plateaux, vide-poches, presse-papiers… La ligne de céramiques en collaboration avec l'atelier

Astier de Villatte est une pure merveille !

Modern Anthology

68 Jay St., entre Front St.
et Water St. (C6)
M° York St.
☎ (718) 522 30 20
www.modernanthology.com
Lun.-sam. 11h-19h, dim. 12h-18h.

La déco masculine règne en maître dans ce cabinet de curiosités de DUMBO (voir p. 48). Meubles et babioles vintage se mêlent aux rééditions de grands classiques américains et aux créations de designers locaux : fauteuils Chesterfield, globes terrestres (à partir de $150), drapeaux américains, lampes industrielles, affiches d'école, lettres d'enseignes, vaisselle design…pour un résultat chic et actuel.

MacKenzie-Childs

20 W 57th St., entre 5th Ave.
et Ave. of the Americas (B2)
M° 57th St.
☎ (212) 570 60 50
www.mackenzie-childs.com
Lun.-mer. et ven.-sam. 10h-18h,
jeu. 10h-19h, dim. 11h-17h.

Imaginez une maison de poupée victorienne qui aurait pris des allures d'*Alice au*

pays des merveilles. Dès que vous entrez dans ce magasin, vous pénétrez dans un autre monde ! Vaisselle (bols à partir de $38), services à thé, vases, carreaux et cadres de faïence, tout est peint à la main. Des meubles et des accessoires féeriques au 1er étage.

ABC Carpet & Home

881-888 Broadway,
angle E 19th St. (B4)
M° 14th St.-Union Square
☎ (212) 473 30 00
www.abchome.com
Lun.-sam. 10h-19h (20h jeu.),
dim. 11h-18h30.

Installé sur six étages, ABC Carpet & Home pourrait être un musée de la décoration d'intérieur avec des objets venus du monde entier. Le clou du spectacle reste le rez-de-chaussée, sorte de palais des *Mille et Une Nuits* agencé comme une brocante et où l'on trouve une multitude d'accessoires aux styles variés. Au fond du magasin, le restaurant ABC Kitchen sert des produits bio.

Broadway Panhandler

65 E 8th St., entre Mercer St. et Broadway (H6)
M° 8th St.
☎ (866) 266 59 27
www.broadwaypanhandler.com
Lun.-sam. 11h-19h (20h jeu.),
dim. 11h-18h.

Tous les ustensiles de cuisine, du plus basique au plus haut de gamme, se trouvent dans ce superbe magasin. Que vous cherchiez un authentique wok chinois ($34-$280) ou une machine à cappuccino italienne, c'est ici qu'il faut venir. Ne manquez surtout pas le rayon des accessoires pour la décoration des gâteaux, il est tout simplement incroyable !

The Upper Rust

445 E 9th St., entre
1st Ave. et Ave. A (I6)
M° 1st Ave.
☎ (212) 533 39 53
www.theupperrust.com
Lun.-ven. 12h-20h,
sam.-dim. 12h-19h.

Il faut pousser la porte de cette jolie boutique d'East Village qui regorge d'objets rétro *so chic* (à partir de $50) ! Passionné d'antiquités et de curiosités, Kevin Bockrath

a le flair pour dénicher des pièces du meilleur goût : services en porcelaine délicate, miroirs peints, jouets oubliés, porte-manteaux, boîtes en fer illustrées, cadres photo, lampes industrielles, bijoux... le tout en excellent état. Idée déco originale, les vieilles punitions d'écoliers sous cadre ($95).

Obscura

Si vous recherchez des pièces uniques, atypiques, voire franchement décalées, vous trouverez forcément votre bonheur dans ce cabinet de curiosités : taxidermie vintage avec ces oiseaux colorés sous cloche, vieux matériel scientifique et médical (fioles à remède à partir de $50), photos de nu des années 1930, costumes du XIXe s., poupées victoriennes, objets funéraires à vous donner la chair de poule et squelettes authentiques... assurément insolite !

207 Ave. A, entre 12th et 13th St. (I6) – M° 1st Ave.
☎ (212) 505 92 51 – www.obscuraantiques.com
Lun.-sam. 12h-20h, dim. 12h-19h.

Les grands
magasins

On rêve devant leurs vitrines fabuleuses, on se laisse pomponner dans leurs *beauty corners* et on se perd avec bonheur dans leurs rayons. Historiques, luxueux et élégants, les grands magasins new-yorkais sont une institution et une attraction à part entière. Beaucoup furent de petits magasins de quartier avant de connaître la prospérité et d'incarner le bon goût américain. Les New-Yorkais ne manqueraient pour rien au monde leurs soldes légendaires.

Macy's

151 W 34th St., entre Broadway et 7th Ave. (B3)
M° 34th St.-Herald Square
☎ (212) 695 44 00
www.macys.com
Lun.-ven. 9h-21h30, sam. 10h-21h30, dim. 11h-20h30.

Occupant un *block* entier et dix étages, le célébrissime *department store* revendique le titre de plus grand magasin du monde. Son choix immense, ses prix abordables et ses merveilleuses vitrines de Noël font sa popularité. Créé en 1858 par R. H. Macy, ancien capitaine de baleinière dont le tatouage, une étoile rouge, est devenu le symbole, Macy's organise chaque année le feu d'artifice du 4 juillet (fête nationale) et la parade de Thanksgiving (voir p. 5). Plus qu'une institution, un « miracle sur la 34e rue » !

Bloomingdale's

1000 3rd Ave.,
entre 59th et 60th St. (B2)
M° 59th St.-Lexington Ave.
☎ (212) 705 20 00
www.bloomingdales.com
Lun.-mer. 10h-20h30, jeu.-sam. 10h-22h, dim. 10h-21h.

Les frères Bloomingdale ont commencé par vendre des jupes dans le Lower East Side avant d'ouvrir en 1886 ce *department store* devenu un must new-yorkais. Impossible de ne pas faire un tour chez « Bloomi », moins grand que Macy's mais bien plus chic et branché. *Corners* sophistiqués de créateurs de mode, de cosmétiques et d'accessoires, et mannequins déambulant dans les allées vous mettront l'eau à la bouche.

Henri Bendel

712 5th Ave.,
entre 55th et 56th St. (B2)
M° 5th Ave.-53rd St.
☎ (212) 247 11 00
www.henribendel.com
Lun.-sam. 10h-20h, dim. 12h-19h.

Ouvert en 1896, ce magasin chicissime est le royaume des

accessoires féminins. Sous une magnifique verrière signée René Lalique (1912), maquillage, produits de beauté, bijoux, sacs, foulards, chapeaux et lunettes vont faire tourner les têtes des coquettes. Tout est joliment présenté et on apprécie l'atmosphère intimiste.

Barneys

660 Madison Ave., angle 61st St. (B2)
M° 5th Ave.-59th St.
☎ (212) 826 89 00
www.barneys.com
Lun.-ven. 10h-20h, sam. 10h-19h, dim. 11h-19h.

Alexander Wang, Christian Louboutin, Manolo Blahnik... Tous les créateurs les plus en vue sont présents dans ce haut lieu de la mode et du luxe. Au vu des prix affichés, vous comprendrez pourquoi les soldes mythiques de Barneys sont très attendus par les New-Yorkais.

Bergdorf Goodman

754 5th Ave., angle 58th St. (B2)
M° 5th Ave.-59th St.
☎ (800) 558 18 55
www.bergdorfgoodman.com
Lun.-sam. 10h-20h, dim. 11h-19h.

Associé à l'Alsacien Herman Bergdorf en 1901, le couturier Edwin Goodman fut le premier à introduire le prêt-à-porter aux États-Unis. Sur les pas de Grace Kelly et de Jacky Kennedy, on pénètre religieusement dans ce temple du haut de gamme classique, célèbre pour son service irréprochable, son *shoe salon* et ses vitrines de Noël spectaculaires. En face du magasin principal, installé depuis 1928 à l'emplacement du manoir Vanderbilt, Bergdorf Goodman Men (n° 745) est dédié aux messieurs.

Lord & Taylor

424 5th Ave., entre 38th et 39th St. (B3)
M° 5th Ave.
☎ (212) 391 33 44
www.lordandtaylor.com
Lun.-sam. 10h-21h, dim. 11h-19h.

Voici le navire amiral de la plus ancienne chaîne de grands magasins au monde (1826). Moins luxueux et branché que ses voisins de 5th Avenue, Lord & Taylor n'en offre pas moins un grand choix d'articles de qualité pour la maison et pour habiller toute la famille. Les créateurs américains y sont bien représentés.

Saks Fifth Avenue

611 5th Ave., entre 49th et 50th St. (B3)
M° 5th Ave.-53rd St.
☎ (212) 753 40 00
www.saksfifthavenue.com
Lun.-sam. 10h-20h30, dim. 11h-19h.

Saks remporte la palme de l'élégance avec ses dix étages de prêt-à-porter de luxe et de haute couture. Là encore, un magasin légendaire où une clientèle exigeante s'habille avec la crème *fashion* (Marc Jacobs, Ralph Lauren, Rag & Bone...) sur les conseils pointus du personnel. Il faut grimper au 8e étage pour découvrir le superbe espace dédié aux chaussures de créateurs, « 10022 Shoe », ou faire une pause au café SFA pour profiter de la belle vue.

Le coin des bonnes affaires : Century 21

Un grand magasin discount, véritable institution, proposant vêtements, linge de maison, cosmétiques et accessoires de grandes marques aux prix les plus bas de la ville. Les fashionistas s'y disputent lunettes, sacs et quantité d'articles de mode, siglés Calvin Klein, DKNY, Ralph Lauren ou Prada, des saisons précédentes. Certains articles peuvent être soldés jusqu'à 70 % ! Seul hic, s'armer de patience et ne pas avoir peur de la foule (évitez d'y aller le samedi).

22 Cortlandt St., entre Church St. et Broadway (B6)
M° Fulton St.-Broadway
☎ (212) 227 90 92 – www.c21stores.com
Lun.-ven. 7h45-21h, sam. 10h-21h, dim. 11h-20h.

Disques
et musique

Même s'ils sont de moins en moins nombreux, du fait de la chute de l'industrie du disque, les petits disquaires spécialisés en vinyles ou disques d'occasion résistent ! Vous les trouverez surtout dans le bas de la ville (East et West Village). Ils sont parfois spécialisés dans un genre et possèdent des disques en import difficilement trouvables ailleurs. Les magasins d'instruments de musique (principalement du côté de Times Square) proposent des prix très intéressants.

disques en import qui raviront les plus curieux. Belle sélection de livres dans des éditions anciennes et quelques partitions. Un havre de paix.

Other Music

15 E 4th St., entre Broadway
et Lafayette St. (H6)
M° Bleecker St.
☎ (212) 477 81 50
www.othermusic.com
Lun.-mer. 11h-20h, jeu.-ven.
11h-21h, sam. 12h-20h, dim.
12h-19h.

Ce *record shop* de NoHo, spécialisé dans la musique expérimentale, rare et underground, attire DJ et *hipsters* en quête de nouvelles pépites. Toutes les nouveautés indie-rock échouent ici au milieu d'albums psychédéliques, d'electronica improbables et de

référence comme l'intégrale du Velvet Underground (99,99 $).

Academy Records and CD's

12 W 18th St., entre 5th Ave.
et Ave. of the Americas (B4)
M° 14th St.
☎ (212) 242 30 00
www.academy-records.com
Dim.-mer. 11h-19h,
jeu.-sam. 11h-20h.

La musique classique et l'opéra sont à l'honneur dans ce magasin situé au cœur de Chelsea. La boutique propose aussi un rayon jazz intéressant et beaucoup de

A-One Record Shop

439 E 6th St., entre 1st Ave.
et Ave. A (I6)
M° Lower East Side-2nd Ave.
☎ (212) 473 28 70
www.a1recordshop.com
T. l. j. 13h-21h.

Une petite boutique bien

connue des fans de vinyles ! Pas étonnant, il n'y a que ça : tous les styles et toutes les époques. Ne cherchez pas, vous ne trouverez aucun CD. Dans le fond du magasin, un vendeur reste près de ses platines afin d'offrir une ambiance *groovy* à ses clients. Comptez entre $10 et $20 le vinyle (jusqu'à $200 pour une rareté).

Sam Ash Music

333 W 34th St.,
entre 8th et 9th Ave. (A3)
M° 34th St.-Penn Station
☎ (212) 719 22 99
www.samash.com
Lun.-sam. 10h-20h, dim. 11h-19h.

Cette chaîne de magasins spécialisée dans les instruments de musique s'est installée à Manhattan en 1970. Elle propose à la fois des instruments neufs ou d'occasion, des accessoires, des partitions, des amplis, ainsi qu'un grand choix de matériel lié au son, comme des tables de mixage ou des synthés.

Ludlow Guitars

172 Ludlow St., entre Houston St. et Stanton St. (I7)
M° Lower East Side-2nd Ave. ou Delancey St.
☎ (212) 353 17 75
www.ludlowguitars.com
Lun.-sam. 13h-20h, dim. 13h-17h.

Basses, guitares et amplis, neufs, vintage ou en édition limitée, la sélection est pointue. Mais la particularité de ce magasin, ou plutôt ce qui fait venir les accros, ce sont les multiples pédales d'effet proposées, avec beaucoup de petites éditions confidentielles. De quoi se fabriquer un son unique !

Bleecker Street Records

188 W 4th St.,
entre Jones et Barrow St. (G6)

M° 4th St.
☎ (212) 255 78 99
Dim.-jeu. 11h-22h,
ven.-sam. 11h-23h.

Pour les amateurs de disques d'époque, c'est un des disquaires les plus pointus du Village, en particulier pour le jazz, mais aussi le blues, le rock et le gospel. Une belle collection de vinyles et de CD (env. $14) à des prix qui ne sont pas forcément plus intéressants qu'en France.

Jazz Record Center

236 W 26th St., entre 7th et 8th Ave. (A4) – 8e ét., pièce 804
M° 23rd St.

☎ (212) 675 44 80
www.jazzrecordcenter.com
Lun.-sam. 10h-18h.

C'est le meilleur magasin de disques de jazz de New York (disques neufs jusqu'à $18), non seulement pour les productions actuelles, mais aussi pour les vieux albums et les enregistrements de collection des grands maîtres. Expédition partout dans le monde (sélection discount à $4,99).

House of Oldies

35 Carmine St., entre Bedford St. et Bleecker St. (G7)
M° Houston St.
☎ (212) 243 05 00
www.houseofoldies.com
Mar.-sam. 9h-17h.

« *No CD's, no tapes, just records.* » Vous êtes prévenus, depuis 1962, on ne vend ici que des vinyles. Et pas qu'un peu puisque le stock flirte avec le million de disques ! Little Richard, The Everly Brothers, Ritchie Valens... un incontournable pour les références rock'n'roll, doo-wop, rythm'n'blues, blues, soul et pop des années 1950 à 1970.

Image, son et informatique

New York est l'endroit rêvé pour s'équiper en matériel électronique : lecteurs MP3, appareils photo, caméras digitales ou ordinateurs. Les meilleures marques sont représentées à des prix souvent attractifs, mais attention, le courant utilisé aux États-Unis (110 V) et les prises à fiches plates nécessitent un transformateur et un adaptateur.

• **Apple Store** : voir p. 35.

• **Sony Style**
550 Madison Ave., entre 55th et 56th St. (B2) – M° 5th Ave.-53rd St.
☎ (212) 833 88 00 – www.sony.com
Lun.-sam. 10h-19h, dim. 11h-18h.

• **B&H Photo**
420 9th Ave., entre 33rd et 34th St. (A3) – M° 34th St.-Penn Station
☎ (212) 444 66 15 – www.bhphotovideo.com
Lun.-jeu. 9h-19h, ven. 9h-14h (13h en hiver), dim. 10h-18h.

Curiosités
et cadeaux

Il y a bien sûr l'incontournable des boutiques de souvenirs, le fameux logo « I love NY » de Milton Glaser en version mug ou tee-shirt, meilleur prix à Chinatown qu'à Times Square. En quête d'objets design ou arty ? Pensez aux boutiques de musées : celles du MoMA, du MET et de l'American Folk Art Museum sont fabuleuses. Pour dégoter le petit cadeau original, furetez dans les dernières petites échoppes anciennes ou insolites de Manhattan.

Bowne & Co. Stationers

209 et 211 Water St., entre Fulton St. et Beekman St. (B6)
M° Fulton St.
☎ (646) 315 44 78
T. l. j. 11h-19h.

Cette ancienne échoppe de marchand (1775) abrite une délicieuse imprimerie typique du XIXe s. où l'on vient respirer l'atmosphère du vieux New York. On y imprime sur des presses d'époque papier à lettres, papier cadeau, plans du Manhattan d'antan, carnets, affiches ($25) et cartes postales (à partir de $3). Visitez les deux boutiques :

un must pour les accros de papeterie et de typo rétro !

Artful Posters

194 Bleecker St., entre 6th Ave. et MacDougal St. (G7/H7)
M° 4th St.
☎ (212) 473 17 47
www.artfulpostersnyc.com
T. l. j. 10h30-22h.

Richard vous accueille en français dans sa petite boutique de Greenwich Village ouverte en 1978. C'est l'adresse pour dénicher des photos en noir et blanc de stars américaines, des affiches de films (*Breakfast at Tiffany's*, *King Kong* de 1933 ou *Manhattan* de Woody Allen) neuves ou vintage ($20-$65), des posters du New York d'antan ou des reproductions d'œuvres de Warhol et Keith Haring.

Evolution

120 Spring St., entre Greene St.
et Mercer St. (H7)
M° Spring St.
☎ (212) 343 11 14
www.theevolutionstore.com
T. l. j. 11h-19h.

Un squelette vous accueille
à l'entrée, histoire de vous mettre
dans l'ambiance ! Cette boutique,
qui ressemble davantage
à un musée d'histoire naturelle,
regorge de surprises. Outre les
animaux empaillés, on y trouve
une véritable collection de
crânes, os et squelettes complets
du genre humain, des insectes
énormes à accrocher dans
votre maison de campagne…
et pour vos enfants, ne ratez
pas les sucettes aux vers ($3)
ou aux scorpions ($4).

MoMA Design Store

81 Spring St., angle Crosby St. (H7)
M° Spring St.
☎ (646) 613 13 67
www.momastore.org
Lun.-sam. 10h-20h, dim. 11h-19h.

Une superbe collection
de reproductions d'objets
contemporains (vases, assiettes,
bijoux, lampes…), de meubles
exposés au MoMA, de tableaux
de Matisse ou Dalí ($17-$85),
ainsi que des accessoires
de bureau minimalistes et
des gadgets très originaux !
Également une vaste collection
de beaux livres au sous-sol
ainsi qu'un stand de la marque
japonaise Muji.

Pearl River Mart

477 Broadway, entre Grand
et Broome St. (H7)
M° Canal St.
☎ (212) 431 47 70
www.pearlriver.com
T. l. j. 10h-19h20.

Une mine d'or chinoise ! Sur
trois étages, ce grand magasin
propose vêtements, accessoires
de mode, objets déco, vaisselle et
linge de maison. Idéal pour faire
des petits cadeaux bon marché :
casquettes Mao, lanternes en
papier, carnets rétro (entre $5 et
$10), ballerines traditionnelles,
statuettes chat porte-bonheur,
cosmétiques, thés et remèdes
à base de plantes…

Pageant Print Shop

69 E 4th St., entre Bowery
et 2nd Ave. (I6)
M° Bleecker St.
☎ (212) 674 52 96
www.pageantbooks.com
Lun.-sam. 12h-20h, dim. 13h-19h.

Fondé en 1946, Pageant Print
fait partie des magasins
les plus réputés en matière
de cartes et lithographies
d'époque. Tous les documents
sont originaux. Une véritable
mine d'or pour ceux qui
s'intéressent à l'histoire
de la ville (et du reste du
monde), et une bonne façon
de découvrir l'évolution d'un
quartier ! Également un grand
choix d'anciennes lithos sur
des thèmes variés (animaux,
architecture, mode, design…).
Premiers prix $1-$5.

Leekan Designs

4 Rivington St., entre Bowery
et Chrystie (I7)
M° Bowery
☎ (212) 226 72 26
www.shopleekan.com
Mar.-ven. 10h-18h,
sam. 12h-19h, dim. 13h-18h.

Un superbe gisement d'objets
et accessoires en provenance
d'Asie, du Moyen-Orient et
d'Afrique du Nord, où l'on pioche
batiks indonésiens, boîtes à
prières tibétaines, gongs, bijoux
thaïs, cages à oiseaux, paniers
tressés du Pakistan, lanternes
chinoises (à partir de $6),
coussins turcs, meubles afghans
ou perles en vrac pour fabriquer
ses propres bijoux.

Au royaume des comics

BD cultes *(Spiderman, X-Men…)*, romans graphiques
introuvables en France, mangas et produits dérivés
vous attendent dans ces temples des geeks new-yorkais :

• **Forbidden Planet**
832 Broadway, entre 12th St.
et 13th St. (H6)
M° 14th St.-Union Square
☎ (212) 473 15 76
www.fpnyc.com
Dim.-mar. 9h-22h, mer.-sam.
9h-minuit.

• **Midtown Comics Times
Square**
200 W 40th St., angle 7th Ave.
(A3) – M° 42nd St.-Times Sq.
☎ (212) 302 81 92
www.midtowncomics.com
Lun.-sam. 8h-minuit, dim.
12h-20h.

Boutiques
gourmandes

Paradis des *foodies,* Manhattan et ses *boroughs* regorgent d'épiceries fines, de *delis* fanés, de *candy shops* géants, de marchés bio et de supérettes exotiques. Allez-y pour l'ambiance et observez les New-Yorkais pendant leurs emplettes. Profitez-en pour glisser quelques gourmandises originales dans la valise ou consommez-les sur place. Bref, croquez la Grosse Pomme à pleines dents !

Dean & Deluca

560 Broadway,
angle Prince St. (H7)
M° Prince St.
☎ (212) 226 68 00
www.deandeluca.com
Lun.-ven. 7h-20h,
sam.-dim. 8h-20h.

Véritable institution, la célèbre épicerie fine chic et chère est l'adresse des gourmets pour faire emplette de produits frais ou *luncher* de salades, sushis et sandwichs fort appétissants. Difficile de résister devant la montagne de bonbons, chocolats, mignardises, cupcakes et cookies multicolores ($4,50-$6) empilés derrière les vitrines…

Whole Foods Market

4 Union Square South (H6)
M° 14th St.-Union Square
☎ (212) 673 53 88
www.wholefoodsmarket.com
T. l. j. 7h-23h.

Le supermarché américain du bio et du tout naturel dispose d'un rayon boulangerie et pâtisserie sans gluten, d'un *salad bar* géant pris d'assaut au déjeuner et d'un rayon cosmétique proposant des produits naturels de toutes les régions des États-Unis : dentifrice Tom's of Maine, baume à lèvres Burts' Bees ($4,99-$6,99)…

Kalustyan's

123 Lexington Ave.,
entre 28th et 29th St. (B4)
M° 28th St.
☎ (212) 685 34 51
www.kalustyans.com
Lun.-sam. 10h-20h,
dim. et j. f. 11h-19h.

Repaire de grands chefs new-yorkais, cette épicerie indienne offre depuis 1944 un choix inimaginable d'herbes, épices, graines, riz, miel, confitures, thés, chutneys et sauces du monde entier. C'est l'adresse pour dénicher des ingrédients rares et des curiosités comme la *corn water* (eau de maïs), ou pour oser une sauce chili baptisée « *Pure death* »…

Aji Ichiban

37 Mott St., entre Mosco St. et Pell St. (H8)
M° Canal St.
☎ (212) 233 76 50
T. l. j. 10h-20h.

Voici une petite boutique originale qui fera le bonheur des curieux et des gourmands. Les Chinois étant de grands amateurs de produits séchés, vous y trouverez un large choix de fruits (les mangues séchées sont délicieuses !), mais aussi de poissons et de crustacés marinés comme des cubes de calamars ou des miettes de crabe rôties. N'hésitez pas à goûter !

Eleni's Cookies

Chelsea Market,
75 9th Ave. et 15th St. (A4)
M° 8th Ave.-14th St.
☎ (888) 435 3647
http://elenis.com
Lun.-ven. 8h30-20h30,
sam. 8h30-20h, dim. 8h30-19h.

Les inimitables cookies d'Eleni's, artisanaux et décorés à la main, se font *smiley* ($4,95),

lapin, bébé, chaussure ou sac à main. Parmi les coffrets à thème, des cookies *so New York* en forme de taxi jaune, Big Apple, Empire State Building ou statue de la Liberté ($39,95 la petite boîte).

Russ & Daughters

179 E Houston St., entre Orchard et Allen St. (I7)
M° 2nd Ave.
☎ (212) 475 48 80
www.russanddaughters.com
Lun.-ven. 8h-20h, sam. 8h-19h,
dim. 8h-17h30.

Rien ne vaut de pousser la porte du plus vieux *delicatessen* de Lower East Side. Il flotte encore un parfum suranné dans cette épicerie légendaire ouverte en 1914 par Joel Russ et toujours tenue par ses descendants. Une référence pour acheter du poisson fumé, du caviar et autres spécialités juives.

Dylan's Candy Bar

1011 3rd Ave., angle 60th St. (B2)
M° Lexington Ave.
☎ (646) 735 00 78
www.dylanscandybar.com
Lun.-jeu. 10h-21h, ven.-sam.
10h-23h, dim. 11h-21h.

La démesure à l'américaine s'exprime dans ce bar à bonbons fantasmé par Dylan Lauren (la fille de Ralph Lauren) après avoir lu *Charlie et la Chocolaterie*. Parmi les 7 000 variétés du monde entier, *whirly pops* ($3,25 ou $10 les 4), berlingots, *bubble gum* et sucres d'orge rétro rendent les *kids crazy* !

Bonnie Slotnick Cookbooks

28 E 2nd St., entre Bowery et 2nd Ave. (I7)
M° 2nd Ave.
☎ (212) 989 89 62
http://bonnieslotnick
cookbooks.com
T. l. j. 13h-19h (j. de fermeture aléatoire, téléphoner avant).

Vous cherchez une édition originale d'*Amy's Vanderbilt Complete Cookbook* illustrée par Warhol ou de recettes américaines vintage ? Filez dans ce délicieux *bookshop*. Une infinie variété de recettes (grand choix sur la gastronomie et les cocktails new-yorkais) sommeillent dans ce stock de livres de cuisine anciens ou épuisés, entre nappes, ustensiles et vaisselle vintage.

À chacun son marché

- **Becs sucrés :** Chelsea Market (voir p. 27).
- **Bio addicts et locavores :** Union Square Greenmarket (voir p. 29).
- **Foodies branchés :** Smorgasburg.
  Smorgasburg Williamsburg, East River State Park, 90 Kent Ave.
  et N 7th St. (D4) – Avr.-oct. : sam. 11h-18h
  Brooklyn Bridge Park Smorgasburg, Pier 5, 304 Furman St.
  (C6) – Avr.-oct. : dim. 11h-18h – Infos sur www.smorgasburg.com
- **Ethnic food et produits exotiques :** Essex Street Market (p. 19) et les marchés de Grand St. (voir p. 17).
- **Fins gourmets :** Grand Central Market (voir p. 36).

Sortir
mode d'emploi

On sort où ?

Pour une comédie musicale ou une pièce de théâtre, rendez-vous à **Times Square** (voir encadré p. 136). Pour un concert de musique classique, un opéra ou un spectacle de danse, direction le **Lincoln Center** (voir p. 39). Le **West Village** est la Mecque du jazz avec deux des clubs les plus célèbres, le Village Vanguard et le Blue Note (voir p. 134). L'alternatif **East Village**, le cool **Lower East Side**, le chic **Meatpacking District** et le **Williamsburg** *hipster* sont les quartiers les plus branchés pour boire un verre ou danser toute la nuit. La scène gay et lesbienne se donne rendez-vous à **Greenwich Village** et **Chelsea** (consultez www.nextmagazine.com ou getoutmag.com).

Réglementation

Il faut avoir 21 ans pour être autorisé à entrer dans les bars et les clubs et à consommer de l'alcool. Quelques boîtes de nuit autorisent l'accès à partir de 19 ans, mais la consommation d'alcool reste interdite. Même si vous avez visiblement dépassé l'âge légal, une pièce d'identité sera exigée à l'entrée. Pensez à l'avoir toujours sur vous ! Il est d'usage de laisser un *tip* de $1 ou $2 par verre au barman.

Réserver un spectacle

Les guichets affichent souvent *sold out* (« complet ») des mois à l'avance ! Mieux vaut **réserver avant votre départ** auprès d'agences telles que **TicketMaster** (☎ 1 (800) 745 30 00, www.ticketmaster.com) ou **Ticket Central** (☎ (212) 279 42 00, www.ticketcentral.com). Voir aussi l'encadré p. 136 pour obtenir des **billets à prix réduits.** Pour connaître le **programme des spectacles,** consultez www.villagevoice.com ou www.timeout.com/newyork

SE REPÉRER

Nous avons indiqué pour chaque adresse Sortir sa localisation sur le plan général (B2, G8…). Pour un repérage plus facile en préparant votre week-end ou lors de vos balades, nous avons signalé sur le plan par un symbole violet toutes les adresses de ce chapitre. Le numéro en violet signale la page où elles sont décrites.

Les coups de cœur
de notre auteur

New York ne manque pas de lieux où faire la fête et notre auteur a testé tous les concepts : *speakeasy*, clubs à Brooklyn ou boîtes de jazz, voici ses adresses préférées.

The Dead Rabbit

Beauty Bar
Session cocktail-manucure-DJ pour bien commencer ma virée entre copines (p. 125).

PDT
Un *speakeasy* caché où j'adore me faufiler pour un verre les yeux dans les yeux (p. 125).

Old Town Bar
Le plein de nostalgie et de conversations dans ma bulle du vieux New York (p. 128).

The Dead Rabbit
Envie d'un cocktail de haute volée ? Je fonce illico au Parlor du Dead Rabbit (p. 124).

Hotel Delmano
Un chaleureux point de chute pour boire en bande et engloutir des huîtres à l'apéro (p. 130).

Bowery Ballroom
Mon temple rock du Lower East Side pour découvrir des groupes en *live* (p. 132).

Hotel Delmano

Pete's Candy Store

Pete's Candy Store
Quiz décalé ou concert folk intimiste. Mon repaire bohème pour une soirée à la cool (p. 133).

Output
Le point de chute de mes nuits folles à Williamsburg au son d'un DJ branchouille (p. 131).

Bars,
clubs

1 - Apothéke
2 - Beauty Bar
3 - Beauty Bar
4 - The Dead Rabbit

Lower Manhattan
Visite 1 – p.10

The Dead Rabbit
30 Water St. (Est de Broad St. ; B6)
M° Whitehall et Broad St.
☎ (646) 422 79 06
www.deadrabbitnyc.com
Taproom : t. l. j. 11h-4h
The Parlor : lun.-mer. 17h-2h,
jeu.-sam. 17h-3h
Bière : $6-$8.

Depuis son ouverture, le Dead Rabbit, du nom d'un célèbre gang des années 1850, cumule les prix de meilleur bar à cocktails de New York, des États-Unis et du monde ! Grimpez directement au Parlor, superbe saloon tiré du New York d'antan, pour siroter l'un des 72 cocktails *old school* réalisés avec brio. Bières et ambiance de pub tra-

BARS

Les bars et les pubs sont nombreux à New York et font vraiment partie de la culture américaine ! Beaucoup proposent un happy hour (en général entre 17h et 19h) avec des boissons à prix réduits ou une boisson offerte pour une achetée. Bon nombre d'établissements proposent des concerts de différents genres (jazz, électro…). Pensez à consulter les sites Internet pour en connaître la programmation et les horaires !

ditionnel dans la Taproom au rez-de-chaussée.

TriBeCa
Visite 2 – p. 14

Brandy Library

25 N Moore St.,
angle Varick St. (H8)
M° Franklin St.
Résa : ☎ (212) 226 55 45
www.brandylibrary.com
Dim.-mer. 17h-1h, jeu. 16h-2h,
ven.-sam. 16h-4h
Whiskys : à partir de $12.

L'antre chic des amateurs de spiritueux pour déguster un vieux brandy ou un single malt, enfoncé dans un fauteuil club, bercé par des standards de jazz. L'époustouflante sélection de whiskys, cognacs, armagnacs, calvados et rhums de cette précieuse bibliothèque (900 références) est doublée d'une carte de 100 cocktails. Une ambiance raffinée sans être snob, idéale pour se relaxer.

Chinatown et Little Italy
Visite 3 – p. 16

Apothéke

9 Doyers St. (I8)
M° Canal St., Chambers St.
ou Brooklyn Bridge-City Hall
☎ (212) 406 04 00
www.apothekenyc.com
T. l. j. 19h-2h
Cocktail : $15-$18.

Seule une petite enseigne « Chemist » au-dessus de la porte indique ce *speakeasy* caché dans une sombre ruelle de Chinatown. Il flotte un parfum de XIXe s. dans cette ancienne fumerie d'opium décorée de vieux flacons d'apothicaires, où des mixologistes en blouse blanche vous prescrivent et concoctent à l'aide de pipettes de fabuleux remèdes à base de fruits et herbes bio. Baskets refusées !

Lower East Side
Visite 4 – p. 18

Casa Mezcal

86 Orchard St.,
angle Broome St. (I7)
M° Delancey ou Essex
☎ (212) 777 26 00
www.casamezcalny.com
Mar.-jeu. 12h-1h,
ven.-sam. 12h-4h
Mezcal : $10-$40.

Sur trois étages, ce petit coin de Mexique est à la fois un bar, un restaurant et une galerie d'art. Le mezcal, une eau-de-vie mexicaine à base d'agave, comme la tequila, coule à flots dans cette chaleureuse *mezcaleria* haute en couleur. Si vous préférez les cocktails, descendez au sous-sol où niche le Botanic Lab (mer.-sam. 19h-4h).

Spitzer's Corner

101 Rivington St.,
angle Ludlow St. (I7)
M° Delancey ou Essex
☎ (212) 228 00 27
www.spitzerscorner.com
Lun.-mer. 12h-3h, jeu.-ven. 12h-4h, sam.-dim. 10h-4h
Bière : $6-$10.

Avec de grandes tables communes en bois et des lampes industrielles pour seul décor, quelque 40 bières artisanales locales à la pression et une *american food* savoureuse, ce *gastropub* en coin est l'un des plus populaires du quartier. Inutile de préciser que l'endroit se vite bondé, et par conséquent très bruyant.

Nurse Bettie

106 Norfolk St., entre Delancey St. et Rivington St. (I7)
M° Delancey St.
☎ (212) 477 75 15
http://nursebettie.com
Dim.-mer. 18h-2h,
jeu.-sam. 18h-4h.

Hommage à l'icône Bettie Page, ce petit bar à pin-up propose des shows burlesques gratuits les mercredis et jeudis à partir de 22h. On s'abandonne à un martini *bubble gum* lors des happy hours, lorsque les cocktails sont proposés à $4 (dim.-lun. le soir, mar.-jeu. 22h et ven.-sam. 18h-21h).

East Village / NoHo
Visite 5 – p. 20

Beauty Bar

231 E 14th St.,
entre 3rd et 2nd Ave. (H6/I6)
M° 14th St.-Union Square ou 3rd Ave.
☎ (212) 539 13 89
www.thebeautybar.com
Lun.-ven. 17h-4h,
sam.-dim. 14h-4h.

Un ancien salon de coiffure, comme en témoigne l'enseigne à l'extérieur. Le décor des années 1980 est d'origine : vous prendrez un délicieux cocktail assis sous un énorme casque sèche-cheveux, tout en écoutant des morceaux de pop rétro. Pendant l'happy hour *Martinis and Manicures,* on a droit à une boisson et une manucure pour $10 (lun.-ven. 18h-23h, sam.-dim. 15h-23h)… À partir de 22h, un DJ s'installe aux platines, ça décoiffe !

PDT

113 St Mark's Place (entrée par Crif Dogs), entre 1st Ave. et Ave. A (I6)
M° 1st Ave.
☎ (212) 614 03 86
Lun.-ven. 18h-2h,
sam.-dim. 18h-4h
Cocktail : $15.

Rien que pour le plaisir de débusquer ce bar faussement clandestin, comme au temps de la Prohibition, allez-y ! Entrez dans le fast-food Crif Dogs (voir p. 82), situé en *basement*, trouvez la cabine téléphonique, décrochez le combiné et on vous ouvrira la porte comme par magie. PDT pour « Please Don't

Tell » n'est plus un secret pour personne, mais ses cocktails inventifs sont toujours aussi prisés. Il est plus prudent de réserver.

d.b.a.

41 1st Ave., entre 3rd et 2nd St. (I7)
M° Lower East Side-2nd Ave.
☎ (212) 475 50 97
T. l. j. 13h-4h
Bière pression : dès $6.

Sûrement un des bars les plus emblématiques et animés de l'East Village. Surpeuplé les vendredis et samedis soir, il propose pas moins de 250 variétés de bières, 50 whiskys et 40 tequilas ! À l'arrière, un agréable jardin permet de boire son verre au soleil ou à la fraîche selon l'heure…

McSorley's Old Ale House

15 E 7th St.,
entre 3rd et 2nd Ave. (H6)
M° Astor Place
☎ (212) 474 9148
www.mcsorleysnewyork.com
Lun.-sam. 11h-1h, dim. 11h-1h.

Poussez la porte du plus vieux pub de la ville (1854), et c'est un New York révolu qui s'offre à vous. Fréquenté par Lincoln, Roosevelt, Babe Ruth, John Lennon ou encore JFK, les femmes n'y ont été admises qu'en 1970 ! Sciure au sol, photos jaunies, souvenirs (affiche *Wanted* de l'assassin de Lincoln) et nul autre choix que la bière maison ($5,50 les 2 mugs)… on oublie qu'on est à Manhattan.

Sing Sing Karaoke

9 St. Mark's Place, entre 3rd et 2nd Ave. (H6/I6)
M° Astor Place ou 8th St.
☎ (212) 387 78 00
www.karaokesingsing.com
Dim.-jeu. 13h-4h,
ven.-sam. 13h-6h
$8 (+ taxe) de l'heure par pers.

New-Yorkais de tous poils viennent pousser la chansonnette au Sing Sing (référence à la célèbre prison new-yorkaise). Vous pourrez chanter dans le bar devant un public ou profiter entre amis d'une cabine privée où l'on viendra vous servir cocktails à base de vodka coréenne, sakés ou pichets de bière japonaise. Plus de 120 000 chansons sont disponibles, dans tous les styles imaginables.

Manitoba's

99 Ave. B, entre 6th et 7th St. (I6)
M° 1st Ave.
☎ (212) 982 2511
www.manitobas.com
T. l. j. 15h-4h
Bière : $5 (2 pour le prix d'une 15h-20h).

Le bar de Richard « Handsome Dick » Manitoba, figure des années punk, vous replonge dans la grande époque d'East Village et de ses clubs mythiques avec sa précieuse collection de photos en noir et blanc. Des clichés de David Bowie, Lou Reed, Iggy Pop, des Ramones ou des Sex Pistols que vous ne verrez nulle part ailleurs, dans une ambiance cool et sur fond de musique rock *of course* !

SoHo / NoLIta
Visite 6 – p. 22

The Ear Inn

326 Spring St.,
angle Greenwich St. (G7)
M° Spring St.
☎ (212) 226 90 60
www.earinn.com
T. l. j. 11h30-4h.

Dans une maison de 1817 classée Monument historique, ce pub un peu excentré est très populaire. Une ambiance typique de pub anglais avec ses boiseries sombres et sa déco vieillotte

---

Un *cosmo* au 7e ciel

De nombreux hôtels ont transformé leur *rooftop* en bar à cocktails. Pour siroter l'incontournable boisson new-yorkaise, prenez de l'altitude et profitez de la vue (comptez de $12 à $19 le verre) ! Depuis *Sex and the City*, le *cosmo* est le cocktail le plus populaire chez les New-Yorkaises, et chez les hommes, le Martini n'a pas encore été détrôné. Pourtant, les *bartenders* distillent des saveurs bien plus subtiles dans leurs shakers !

• Rare View Chelsea : 152 W 26th St. (B4), M° 28th St.,
☎ (212) 807 72 73, www.rarebarandgrill.com,
mer.-sam. 17h-1h, dim. 12h-minuit. Pour voir et être vu au milieu d'une clientèle fashion avec une superbe vue sur l'Empire State Building. DJ le week-end selon programmation.

• Le Bain : le *rooftop* du Standard Hotel avec vue sur l'Hudson River est le plus couru du moment (voir p. 128).

• Plunge Bar : 18 9th Ave. (G6), M° 14th St. ou 8th Ave.,
☎ (212) 660 67 36, lun.-mer. 11h-1h, jeu.-sam. 11h-3h, dim. 11h-23h. Bar branché au 15e étage du très chic hôtel Gansevoort avec piscine et vue plongeante sur la ville et l'Hudson River.

• Bar de l'hôtel Mandarin : pour sa vue imprenable sur Central Park (voir p. 90).

1 - Manitoba's
2 - Little Branch
3 - Plunge Bar
4 - Plunge Bar

et chaleureuse ! Les boissons sont moins chères que dans la plupart des bars voisins (env. $7). Vous pouvez également profiter de concerts jazz ou blues le soir (dim.-lun. et mer.).

City Winery

155 Varick St., entre Spring St. et Vandam St. (G7)
M° Houston St. ou Spring St.
☎ (212) 608 05 55
www.citywinery.com
• Restaurant Barrel Room :
dim.-ven. 11h30-15h et 17h-22h30, sam. 17h-22h
• Bar : t. l. j. 11h30-23h00
Vin au verre : $10-$13.

Michael Dorf, le fondateur du célèbre Knitting Factory (voir p. 133), a ouvert cet espace dédié au plaisir du vin, celui de le déguster certes, mais aussi celui de le fabriquer. Atmosphère chic, sans être guindée, pour un dîner sous le signe de Bacchus dans la Barrel Room ou pour un concert intimiste de folk, country, blues ou rock traditionnel dans le bar (payant).

Pravda

281 Lafayette St.,
angle Prince St. (H7)
M° Broadway-Lafayette St.
☎ (212) 226 49 44
www.pravdany.com

Lun. 17h-minuit, mar.-mer. 17h-1h, jeu. 17h-2h, ven.-sam. 17h-3h, dim. 18h-1h
Vodka : à partir de $11.

Ce bar-restaurant branché a des airs de rendez-vous secret pour KGBistes avec ses inscriptions en cyrillique et son décor russe. On y sert plus de 70 marques de vodka et presque autant de Martini. Une clientèle jeune vient y déguster blinis et caviar.

Greenwich Village / West Village
Visite 7 – p. 24

Little Branch

20 7th Ave. S, angle Leroy St. (G7)
M° Houston St.
☎ (212) 929 43 60
T. l. j. 19h-3h
Cocktail : $14
Espèces uniquement.

Le lieu, à peine visible de la rue, porte une simple plaque sur la porte. Situé en sous-sol, le Little Branch se veut chic,

intime et romantique. Vous êtes accueilli par une hôtesse qui vous placera à une table, ce qui donne le ton. Ici, on ne s'entasse pas au bar. Assis tel un VIP, vous pourrez siroter tranquillement votre cocktail !

V Bar

225 Sullivan St., entre W 3rd St. et Bleecker St. (H7)
M° W 4th St.
☎ (212) 253 57 40
www.vbarandcompany.com
Lun.-jeu. 8h30-2h,
ven. 8h30-4h, sam. 10h30-4h, dim. 10h30-2h
Bière : env. $6.

Un petit bar de quartier qui fait café la journée et bar à vins ou à bières le soir (pas d'autres alcools à la carte). Peu de tables individuelles, juste une grande table de bar en forme de serpentin au milieu de la salle, fort propice aux rencontres. À la nuit tombée, les bougies viennent tamiser l'espace. Il ne vous reste plus qu'à choisir parmi la longue liste de vins venus des quatre coins du monde.

Chelsea et Meatpacking District
Visite 8 – p. 26

Trailer Park

271 23rd St.,
entre 7th et 8th Ave. (A4)
M° 23rd St.
☎ (212) 463 80 00
www.trailerparklounge.com
Lun.-ven. 12h-2h, sam.-dim. ouv.
vers 14h, heure de f. variable.

Faites au moins une fois l'expérience d'un *tiki bar,* cet incontournable de la culture pop américaine. Celui-ci remporte la palme du décor le plus exotico-kitsch avec son incroyable bric-à-brac de danseuses hawaïennes, photos d'Elvis, téléviseurs et juke-box *fifties,* bar en bambou et caravane vintage ! Au menu, burgers ($12,95) et margarita ($5 pour l'happy hour, 16h-18h).

The Standard Hotel

848 Washington St.,
angle Little W 12th St. (A4)
M° 8th Ave.
☎ (212) 645 46 46
http://standardhotels.com
• Biergarten : dim.-mer. 12h-1h, jeu.-sam. 12h-2h (à partir de 16h en hiver)
• Club Le Bain : mer.-ven. 22h-4h, sam. 14h-4h, dim. 14h-3h.

Comme en apesanteur au-dessus de la High Line, cet hôtel design façon Le Corbusier est le *hot spot* de Meatpacking. Ne manquez pas le *Biergarten* sous la voie ferrée, où l'on engloutit *Wurtz* ($8), bretzel et pinte de bière. Aux beaux jours, on grimpe sur le *rooftop* gazonné du Bain. Au menu : crêpes, cocktails et vue spectaculaire sur l'Hudson River ! S'inscrire sur la *guest list* pour espérer accéder au dancefloor.

Hogs & Heifers Saloon

859 Washington St.,
angle W 13th St. (A4)
M° 14th St.
☎ (212) 929 06 55
www.hogsandheifers.com
Lun.-ven. 11h-4h,
sam. 12h-4h, dim. 13h-4h
Espèces uniquement.

Un endroit bruyant, qui vous rappellera peut-être les scènes de bar du film *Coyote Girls.* Rockers, *bikers, Bridges and tunnels* (banlieusards) et tous les New-Yorkais avides de fête se retrouvent ici pour savourer le spectacle des serveuses dansant sur le bar ! Une collection de soutiens-gorge trône au-dessus de ce dernier, et les femmes sont invitées à ajouter le leur si elles le désirent. Une ambiance de jungle à connaître une fois dans sa vie.

Flatiron District
Visite 9 – p. 28

Old Town Bar

45 E 18th St., entre Broadway et Park Ave. (B4)
M° 14th St.-Union Sq.
☎ (212) 529 67 32
www.oldtownbar.com
T. l. j. 11h-1h
Bière : $5-$7.

Une authentique relique dont le décor n'a pas bougé depuis 1892 ! Hauts plafonds en fer-blanc gaufré, long comptoir en acajou, miroirs, petits boxs en bois (et urinoirs comme vous n'en avez jamais vu !) vous propulsent à la grande époque du Ladies' Mile... le temps de boire un verre.

The Raines Law Room

48 W 17th St.,
entre 5th et 6th Ave. (B4)
M° 6th Ave.
www.raineslawroom.com

Lun.-mer. 17h-2h,
jeu.-sam. 17h-3h, dim. 19h-1h
Cocktail : $14 ; bière : dès $8.

Les *speakeasy* – les bars clandestins de la Prohibition – reprennent du service, et leurs cocktails sont toujours aussi bons ! The Raines Law Room est un lieu étonnant qui cache un jardin... clandestin où poussent menthe et basilic. Pas de numéro de téléphone, c'est normal, une porte sans enseigne avec une simple sonnette.

Empire State Building / Garment District
Visite 10 – p. 30

Top of the Strand

The Strand Hotel (21e ét.),
33 W 37th St.,
entre 5th et 6th Ave. (B3)
M° 34th St.-Herald Square
☎ (646) 368 64 26
www.topofthestrand.com
T. l. j. 17h-minuit
Cocktail : $15.

Envie d'un mojito haut perché ? Le *roof bar* chic et intimiste du Strand Hotel vous propulse aux premières loges pour contempler l'Empire State Building. La vue de nuit est splendide ! L'idéal est d'y grimper aux beaux jours, quand la verrière est ouverte, et de préférence en semaine, pour éviter l'affluence de *beautiful people* du week-end, car l'endroit est minuscule.

Midtown West, de Times Square à Fifth Avenue
Visite 11 – p. 32

The Rum House

228 W 47th St., entre Broadway et 8th Ave. (A3)
M° 49th St.
☎ (646) 490 69 24
therumhousenyc.com
T. l. j. 13h-4h
Rhum : à partir de $11.

1 - Top of the Strand
2 - Old Town Bar
3 - Old Town Bar

Tombé en désuétude, le vieux piano-bar de l'hôtel Edison a subi un sérieux dépoussiérage. Boiseries et bar en cuivre ont retrouvé tout leur lustre, cocktails caribéens ou *old-fashioned* y sont savamment mixés, et concerts de jazz animent les lieux tous les soirs. Le point de chute idéal après un show à Broadway !

Voir **Times Square** (p. 32)

Midtown East, vers Grand Central Terminal
Visite 12 – p. 36

The Campbell Apartment

Grand Central Terminal,
15 Vanderbilt Ave.,
entre 42nd et 43rd St. (B3)
M° Grand Central-42nd St.
☎ (212) 953 04 09
www.hospitalityholdings.com
Lun.-sam. 12h-1h, dim. 15h-23h
Cocktail : $16.

Un lieu d'exception caché au rez-de-chaussée de la gare de Grand Central. Aménagé dans les années 1920, le luxueux bureau du millionnaire John W. Campbell, reconverti en bar à cocktails, a des airs de petit palais florentin. Boiseries anciennes, vitraux gothiques, canapés en cuir et breuvages vintage à siroter dans une ambiance sombre, feutrée et glamour digne de *Gatsby le Magnifique* !

P.J. Clarke's

915 3rd Ave., angle E 55th St. (B2)
M° 59th St. et Lexington Ave.
☎ (212) 317 16 16
pjclarkes.com
T. l. j. 11h30-3h
Bière : $6-$9.

On vient respirer l'atmosphère du vieux New York dans ce saloon légendaire de 1884, l'un des plus vieux bars de la ville. Le chanteur Buddy Holly y a demandé sa femme en mariage, Frank Sinatra y finissait ses nuits à la table 20, Nat King Cole s'enflammait pour le burger maison et Jackie Kennedy y lunchait le samedi. Une bulle nostalgique remplie de vieux airs émanant du juke-box...

Upper West Side, autour du Lincoln Center
Visite 13 – p. 38

Vanguard

189 Amsterdam Ave.,
entre 68th et 69th Ave. (A2)
M° 72nd St.
☎ (212) 799 94 63
www.vanguard-nyc.com
Lun.-sam. 17h-2h,
dim. 15h-minuit
Vin au verre : à partir de $10.

Bardé de vieilles publicités françaises, ce bar à vins cosy et chaleureux déroule un immense comptoir en marbre où l'on grignote des petits plats américains à l'accent *Frenchy*. La carte des vins français et californiens est plus sélective qu'exhaustive, et l'ambiance décontractée promet d'y passer un bon moment.

Voir le **Time Warner Center** (p. 38) et le **Lincoln Center** (p. 39).

Williamsburg
Visite 19 – p. 50

Hotel Delmano

82 Berry St., entrée N 9th St. (D4)
M° Bedford Ave.
☎ (718) 387 19 45
www.hoteldelmano.com
Lun.-jeu. 17h-2h,
ven.-sam. 14h-3h, dim. 14h-2h.

Il ne s'agit pas d'un hôtel mais d'un bar à cocktails ($12-$13) façon *speakeasy*, l'un des meilleurs du quartier. L'entrée est discrète car il n'y a pas d'enseigne. Allez-y pour son adorable décor vieillot avec ventilateurs en bois, comptoir en marbre, peintures passées et photos sépia. L'ambiance est chaleureuse, la clientèle jeune et branchée, et les cocktails délicieux. Attention aux heures de fermeture, qui sont un peu aléatoires !

Spuyten Duyvil

359 Metropolitan Ave., entre Roebling et Havemeyer St. (D5)
M° Bedford Ave.
☎ (718) 963 41 40
spuytenduyvilnyc.com
Lun.-ven. 17h-2h,
sam.-dim. 12h-2h
Bière : $6-$10.

Un bar à bières culte et sans enseigne de Williamsburg, décoré comme une vieille école de campagne et spécialisé dans les breuvages les plus rares et les plus obscurs. On y sert principalement de la bière belge, mais aussi américaine, britannique, canadienne ou japonaise, que l'on peut accompagner de charcuterie et de fromages locaux. Le *beer garden* à l'arrière est délicieux en été.

The Ides

Wythe Hotel (6e ét.), 80 Wythe Ave., angle N 11th St. (D4)
M° Bedford Ave.
☎ (718) 460 80 06
wythehotel.com
Lun.-ven. 16h-2h,
sam.-dim. 14h-2h
Cocktail : $10-$15.

Joignez vous à la queue qui se forme chaque soir devant le très branché Wythe Hotel. Patientez un peu pour accéder à l'ascenseur et filez au 6e étage, vous ne serez pas déçu ! Ce *rooftop bar* tout bleu avec un petit accent Art déco réserve une vue sublime sur l'East River et la *skyline* de Manhattan. Divin au coucher du soleil !

NIGHT-CLUBS

Sans cesse à la recherche de nouveautés, New York offre l'embarras du choix aux noctambules en quête de sensations fortes et d'expériences originales. Certains clubs sont devenus des institutions, d'autres fleurissent et disparaissent en quelques mois. Informez-vous dans l'édition hebdomadaire du *Time Out Magazine*.

Chinatown et Little Italy
Visite 3 – p. 16

Santos Party House

96 Lafayette St., entre Walker St. et White St. (H8)
☎ (212) 584 54 92
http://santospartyhouse.com
À partir de 19h30 pour les concerts, 23h pour le club
Entrée : $20-$50.

Un club sombre au petit goût d'underground où une faune éclectique vient se trémousser sur une musique tout aussi variée : house déglinguée, hip-hop, cosmic disco, soul ou funk. Le lieu, sur deux niveaux, est aussi une salle de concerts.

Lower East Side
Visite 4 – p. 18

bOb

235 Eldridge St., entre Houston St. et Stanton St. (I7)
M° Lower East Side-2nd Ave.
☎ (212) 529 18 07
www.bobbarnyc.com
Mar.-dim. 19h30-4h
Cocktail : $9-$14
Entrée libre, sf événements.

Plus bar dansant que night-club, l'endroit, tout petit, ne désemplit pas. bOb demeure l'un des incontournables des nuits new-yorkaises pour les amateurs de hip-hop ou de R'n'B !

East Village / NoHo
Visite 5 – p. 20

Webster Hall

119-125 E 11th St., entre 3rd et 4th Ave. (H6)
M° 14th St.-Union Square ou 3rd Ave.
☎ (212) 353 16 00
www.websterhall.com
Jeu.-sam. 22h-4h30
Entrée club : de $20 (si résa sur Internet) à $35 (gratuit jeu. pour les filles) ; limite d'âge selon concert, se renseigner
Concerts t. l. j. (payant).

Ce haut lieu de la fête existe depuis 1886 ! Un club gigantesque sur quatre étages, où se produisent les plus grands DJ, nombreuses stars du rock comme de l'électro ou du hip-hop, et des artistes émergents (trois salles de concerts). Sa fête d'Halloween *Webster Hell*, avec son dance floor rempli de zombies, est un must.

Nublu

62 Ave. C, entre 4th et 5th St. (C5)
M° 2nd Ave.
www.nublu.net
T. l. j. 20h-4h
Concert : 21h, 23h, 1h en semaine et 21h, minuit, 2h w.-e.
Entrée : $10-$15.

Une ampoule bleue au-dessus de la porte fait office d'enseigne. L'adresse, qui à l'origine se voulait « secrète », fait maintenant partie des meilleurs night-clubs de la ville. Groupes et DJ s'y produisent chaque soir dans une ambiance jazz et world music principalement brésilienne. En été, le jardin est ouvert jusqu'à 22h. Profitez-en !

Chelsea et Meatpacking District
Visite 8 – p. 26

Cielo

18 Little W 12th St., entre Washington St. et 9th Ave. (A4)
M° 14th St. ou 8th Ave.
☎ (212) 645 57 00
www.cieloclub.com
Lun. et mer.-sam. 22h-4h
Entrée : $15-$25.

House, deep house, electronica, transe ou tech-house… Cielo est le temple de la musique électronique. Avec des DJ de renom aux platines, un *sound system* excellent et une entrée sélective, Cielo cumule les prix de meilleur club.

Marquee

289 10th Ave.,
entre 26th et 27th St. (A4)
M° 23rd St.

☎ (646) 473 02 02
www.marqueeny.com
Mer. et ven.-sam. 22h-4h
Entrée : $20-$200.

Installé dans un ancien garage, le Marquee jouit d'une superficie plus que généreuse ! L'immense hauteur sous plafond a permis d'agencer une mezzanine offrant une vue plongeante sur l'ambiance du niveau inférieur. La musique est sans doute une des plus éclectiques de la ville, on y entend même de la pop grand public.

Williamsburg
Visite 19 – p. 50

Output

74 Wythe Ave.,
angle N 12th St. (D4)
M° Bedford Ave. ou Nassau Ave.
outputclub.com
Mer.-dim. 23h-4h
Entrée : $15-$20 (gratuit avant minuit).

Avec ses allures de club berlinois underground, un *sound system* excellent (le son est puissant sans faire mal aux tympans), un jeu de lumières ultrasophistiqué et une programmation électro, house et techno pointue, Output est le club incontournable du moment. Les DJ installent leurs platines sur le *rooftop* en été pour des *parties* en plein air décapantes !

Warm Up Parties au MoMA PS1

En été, les fameuses *Warm Up Parties* (concerts, DJ…) du samedi après-midi attirent tout le New York branché dans la cour du PS1 (voir p. 53).
22-25 Jackson Ave.,
M° Court Sq-23 St
momaps1.org/warmup/
Fin juin-début sept., sam. 15h-21h (ouv. 12h) – $20.

Concerts,
spectacles

1 - Joe's Pub
2 - Mercury Lounge
3 - Pete's Candy Store
4 - Le Poisson Rouge

Plus de 21 ans (pièce d'identité) Entrée : $10-$20 (espèces slt).

Considérée comme l'une des salles les plus importantes de la scène rock, elle reçoit aussi bien de jeunes artistes locaux en quête de succès que Lou Reed, Joan Jett ou Radiohead. Underground, *indie* ou rock plus commercial, la programmation est toujours intéressante.

POP, ROCK, ÉLECTRO

Lower East Side
Visite 4 – p. 18

Arlene's Grocery
95 Stanton St., entre Orchard et Ludlow St. (I7)
M° 2nd Ave.
☎ (212) 358 16 33
www.arlenesgrocery.net
Lun. et jeu.-sam. 16h-4h,
mar.-mer. 16h-2h
Entrée libre lun., $8 mar.-jeu. et dim., $10 ven.-sam.

Avant d'être célèbres, Jeff Buckley et The Strokes ont joué dans cette ancienne boucherie, reconvertie en bar et salle de concerts, où l'on peut assister à des *live* rock, garage, punk ou hard-rock tous les soirs. Le karaoké rock'n'roll du lundi soir, avec groupe en *live*, est un must. Même Moby et l'acteur Jim Carrey se sont prêtés au jeu.

Mercury Lounge
217 E Houston St.,
angle Essex St. (I7)
M° Lower East Side-2nd Ave.
☎ (212) 260 47 00
www.mercuryloungenyc.com
Box office : mar.-sam. 12h-18h

Bowery Ballroom
6 Delancey St., entre Bowery St. et Chrystie St. (I7)
M° Bowery
☎ (212) 533 21 11
www.boweryballroom.com
Concerts : t. l. j. à partir de 18h30
Entrée : $13-$40.

Sans doute une des meilleures salles pour écouter des groupes indépendants, souvent très prometteurs, ou de grands groupes de folk, de rock ou même de funk. Le lieu est magnifique, l'acoustique est irréprochable et le bar lounge du sous-sol permet de se relaxer agréablement après le concert. Possibilité de réserver ses billets en ligne sur le site de la salle.

East Village / NoHo
Visite 5 – p. 20

Joe's Pub

425 Lafayette St., entre Astor Place et 4th St. (H6)
M° Astor Place ou 8th St.
Box office : ☎ (212) 967 75 55
joespub.publictheater.org
T. l. j. 19h-minuit
Entrée : $12-$30
(+ 2 boissons minimum).

Un lieu unique et extrêmement convivial, à la fois restaurant et salle de spectacles en tout genre. Sa programmation alterne entre théâtre, poésie et musique. Les concerts proposés vous permettent de découvrir des artistes de la scène locale, mais aussi des artistes connus dans une ambiance beaucoup plus intime que dans la plupart des grandes salles. C'est ici que des chanteuses comme Norah Jones ou Alicia Keys ont fait leurs premières apparitions publiques.

Greenwich Village / West Village
Visite 7 – p. 24

Le Poisson Rouge

158 Bleecker St., entre Sullivan et Thompson St. (H7)
M° W 4th St.
☎ (212) 505 34 74
www.lepoissonrouge.com
Concert : env. $20.

Dans le sanctuaire jazz qu'est Greenwich Village, cette salle de concerts tire son épingle du jeu avec une programmation éclectique allant du rock au classique en passant par le folk, l'indie-pop ou l'électro. Hélène Grimaud, Iggy Pop, Laurie Anderson, Patty Smith, Lady Gaga, Squarepusher, Deerhun-ter et Yo La Tengo s'y sont produits. Éclectique, on vous dit !

Upper West Side et Central Park
Visite 14 – p. 40

The Beacon Theatre

2124 Broadway,
angle W 74nd St. (A1)
M° 72nd St.
☎ (212) 465 65 00
www.beacontheatre.com
Concert : $50-$100.

Une salle légendaire pour des artistes de légende ! Les Rolling Stones, The Beach Boys, Leonard Cohen, Radiohead ou encore Nick Cave ont enflammé les ors de ce somptueux théâtre Art déco de 1929 qui accueille aussi des opéras, des comédies musicales et des one-man-show.

Williamsburg
Visite 19 – p. 50

Brooklyn Bowl

61 Wythe Ave.,
angle N 11th St. (D4)
M° Bedford Ave.
☎ (718) 963 33 69
www.brooklynbowl.com
Lun.-mer. 18h-minuit, jeu.-ven. 18h-2h, sam.-dim. 12h-2h/4h
Prix d'entrée variable.

Ce lieu réunit tous les ingrédients pour passer une bonne soirée : une salle de concerts (du rock au hip-hop), 16 pistes de bowling, de l'*american food* et de la bière made in Brooklyn. Le rendez-vous incontournable ? Tous les jeudis à partir de 23h, DJ ?uestlove du groupe The Roots est aux platines !

Music Hall of Williamsburg

66 N 6th St., entre Kent et Wythe Ave. (D4)
M° Bedford Ave.
☎ (718) 486 54 00
www.musichallofwilliamsburg.com
Concert : $15-$35.

Le meilleur de la scène musicale indé *from* Brooklyn et d'ailleurs ! Groupes du moment dont tout le monde parle ou stricts inconnus attirent ici des hordes de *hipsters* en quête de nouvelles pépites. Agencé sur trois niveaux agrémentés de bars, où que l'on soit, on ne perd pas une miette de ce qui se passe sur scène.

Pete's Candy Store

709 Lorimer St., entre Frost et Richardson St. (D4)
M° Bedford Ave.
☎ (718) 302 37 70
www.petescandystore.com
Concerts gratuits (don aux artistes)
Cocktail : $11.

Lectures, poésie, quiz, *stand-up comedy*... il se passe toujours quelque chose dans cette ancienne confiserie et son vieux wagon Pullman transformé en salle de concerts de poche. Tous les soirs s'y succèdent *live* intimistes allant du folk à la musique garage. L'*open mic* du dimanche (17h-20h) offre la chance à des inconnus de se produire sur scène pendant 10 min.

The Knitting Factory

361 Metropolitan Ave.,
angle Havemeyer St. (D5)
M° Metropolitan Ave.
☎ (347) 529 66 96
http://bk.knittingfactory.com
Bar : dim.-ven. 17h-2h,
sam. 14h-4h
Concerts : t. l. j. à 19h30/20h
Entrée : $10-$40
Bière : $6.

Anciennement à TriBeCa, le temple de l'indie-rock a rouvert ses portes dans un bar des années 1930 à Williamsburg. Groupes du moment, *stand-up comedy*, concerts expérimentaux, la qualité est toujours là !

JAZZ

Greenwich Village / West Village
Visite 7 – p. 24

Zinc Bar

82 W 3rd St., entre Sullivan St.
et Thompson St. (H6-7)
M° W 4th St.-Washington Square
☎ (212) 477 94 62
www.zincbar.com
T. l. j. 9h-3h
Concerts à 19h et 1h ;
entrée : $10-20.

Frank Sinatra venait écouter chanter Billie Holiday, et Thelonious Monk jouait du piano dans ce club de jazz légendaire des années 1940 sauvé par deux passionnés de jazz. Un long comptoir en zinc Art déco précède la salle intimiste où se produisent chaque soir d'excellents musiciens.

Village Vanguard

178 7th Ave. S, angle Perry St. (G6)
M° 14th St.
☎ (212) 255 40 37
www.villagevanguard.com
Concerts à 20h30 et 22h30
Entrée : $30 par set (+ une
boisson minimum).

Ouvert depuis 1935, le Village Vanguard n'a pas pris une ride. Toutes les célébrités du jazz, comme Pharoah Sanders, John Coltrane ou Miles Davis, sont venues se produire ici. Le Village Vanguard est donc devenu une institution. C'est maintenant une scène incontournable pour tous les grands noms du jazz. Le lundi est réservé à l'orchestre Jazz Vanguard.

Blue Note

131 W 3rd St., entre Ave. of the
Americas et Mac Dougal St. (G6)
M° W 4th St.
☎ (212) 475 85 92
www.bluenote.net
Concerts à 20h et 22h30
(0h30 ven.-sam.)

Sunday brunch à 11h30
et 13h30 ($35)
Entrée : $15-$75
(+ un minimum de $5 de
nourriture ou de boisson).

Le Blue Note est un des clubs de jazz les plus réputés de New York, et pourtant l'expérience peut être décevante. Très touristique, l'endroit est assez cher (évitez surtout d'y manger !), exigu et l'accueil pas toujours des plus agréable. L'excellente programmation musicale (Sarah Vaughan et Ray Charles s'y sont produits) vous fera peut-être oublier ces désagréments.

Midtown West, de Times Square à Fifth Avenue
Visite 11 – p. 32

Iridium Jazz Club

1650 Broadway,
angle 51st St. (A2/B2)
M° 50th St.
☎ (212) 582 21 21
www.theiridium.com
Entrée : $25-$60 (+ $15
minimum de nourriture
ou de boisson).

Anciennement situé en face du Lincoln Center, l'Iridium s'est rapproché de Times Square, ce qui lui enlève un peu de son âme et de son charme. La programmation est excellente (tout comme l'acoustique), elle mêle stars de renom et groupes moins populaires. L'Iridium est aussi un restaurant.

Upper West Side, autour du Lincoln Center
Visite 13 – p. 38

Jazz at Lincoln Center - Dizzy's Club Coca-Cola

Time Warner Center, 10 Columbus
Circle (A2)
M° 59th St.-Columbus Circle
☎ (212) 258 95 95

www.jazz.org/dizzys
Concert à 19h30 et 21h30, *late
night session* mar. à 23h30
Concerts : $20-$45 + $10 de conso.

Ne vous fiez pas à son nom ridicule, le Dizzy's Club Coca-Cola, fief du Jazz at Lincoln Center avec le Rose Theater et l'Allen Room, est une institution accueillant aussi bien de grands noms du jazz que de jeunes talents à découvrir. Niché en haut du Time Warner Center, on y profite d'une superbe vue sur Central Park.

Harlem
Visite 17 – p. 46

Smoke

2751 Broadway,
entre 105th et 106th St. (D3)
M° 103rd St.
☎ (212) 864 66 62
www.smokejazz.com
T. l. j. 17h-1h30
Entrée payante ven.-sam. : $9-$45
par set + dîner $38, ou $10-$20
minimum au bar (selon les soirs).

Ce club est moins connu du grand public et il est beaucoup plus excentré certes, mais il vaut tout aussi largement le détour ! La programmation est très riche, l'ambiance chaleureuse et les jam-sessions du lundi vous permettent d'assister à de très bonnes prestations. 3 à 5 sessions par soir à partir de 19h (dîner obligatoire pour les deux premières, $38 minimum).

Apollo Theater

253 W 125th St.,
entre 7th et 8th Ave. (D2)
M° 125th Street
☎ (212) 531 53 00
www.apollotheater.org
Box office : ☎ (212) 531 53 05,
lun.-ven. 10h-18h, sam. 12h-17h
(variable selon les concerts).

Créé en 1914, l'Apollo fut d'abord une salle d'opéra strictement réservée aux Blancs. À par-

1 - Lincoln Center
2 - Blue Note
3 - Apollo Theater
4 - Apollo Theater

tir de 1934, Frank Schiffman reprend la direction de l'établissement et le transforme en une salle de spectacle qui devient un des hauts lieux d'expression des artistes noirs américains. Il met en place la célèbre « Nuit des amateurs », qui lança entre autres James Brown et Sarah Vaughan. Cette tradition persiste chaque mercredi à partir de 19h30 ($20-$40).

MUSIQUES DU MONDE

SoHo / NoLIta
Visite 6 – p. 22

SOB's

204 Varick St.,
angle Houston St. (G7)
M° Houston St.
☎ (212) 243 49 40
www.sobs.com
Ouvert les soirs de concerts
Entrée : $10-$50.

Le mythique SOB's, pour Sounds of Brazil, programme des concerts de musiques latino, brésilienne, africaine ou haïtienne, ainsi que du reggae, du R&B, du hip-hop et de la world music. Kanye West, les Beastie Boys ou Justin Timberlake sont passés par ici et on y retrouve parfois des stars du funk ou de la soul des années 1970. Ambiance *caliente* !

CABARET

Lower East Side
Visite 4 – p. 18

The Box

189 Chrystie St., entre Stanton St. et Rivington St. (I7)
M° 2nd Ave. ou Bowery
☎ (212) 982 93 01
Résa : ☎ (917) 280 59 77
www.theboxnyc.com
Mar.-sam. à partir de 23h
(ne pas arriver après minuit !),
shows à 1h
Dress code : glamour.

Malgré sa devanture peu engageante, c'est l'un des clubs les plus courus de New York pour ses shows burlesques décadents. Dans une salle de bal décorée de chandeliers et de miroirs, la clientèle triée sur le volet (il n'est pas rare d'y croiser des célébrités) vient s'encanailler de spectacles de cabaret version *dark*. Attention, l'addition peut atteindre des sommets (boissons env. $17).

Slipper Room

167 Orchard St.,
entrée par Stanton St. (I7)
M° 2nd Ave.
☎ (212) 253 72 46
www.slipperroom.com
Horaires des shows sur le site
Entrée : $5-$20.

Si vous n'avez pas pu entrer au Box, tentez votre chance au Slipper Room, un cabaret plus intimiste et plus ouvert (pas de *dress code*) proposant des spectacles néoburlesques. Le Slipper Room accueille tous les mardis la fameuse soirée *Sweet* de Seth Herzog, qui ravira les fans de *stand-up comedy*.

MUSIQUE CLASSIQUE ET OPÉRA

Upper West Side, autour du Lincoln Center
Visite 13 – p. 38

Carnegie Hall
154 W 57th St., angle 7th Ave. (B2)
M° 57th St.
☎ (212) 247 78 00
www.carnegiehall.org
Entrée : $10-$95 (jusqu'à $200 pour les orchestres philarmoniques).

Tchaïkovski a dirigé le concert d'inauguration du Carnegie Hall en 1891. La salle propose un programme très varié dans lequel se produisent des stars du monde entier, de Liza Minnelli à Neil Sedaka. Récitals de piano, chorales, formations de musique de chambre, orchestres symphoniques... Le Carnegie Hall possède une seconde salle de spectacle : le Zankel Hall.

Metropolitan Opera House
Lincoln Center, 62nd-65th St., entre Columbus et Amsterdam Ave. (A2)
M° 66th St.-Lincoln Center
☎ (212) 362 60 00
www.metopera.org
Entrée : $20-$400.

Le Metropolitan Opera House – les fresques du hall sont de Marc Chagall – abrite la plus grande compagnie lyrique de New York : la Metropolitan Opera Company. Les places sont chères, et mieux vaut s'y prendre à l'avance. Mais n'hésitez pas à tenter votre chance le jour même pour une place au poulailler *(Family Circle)*...

Un ticket pour Broadway !

Des billets à prix réduits (20-50 %, $4,50 de commission par siège) pour les *Broadway shows* et *Off-Broadway* sont disponibles pour le soir même ou les matinées du lendemain aux kiosques TKTS. Les 3 kiosques ci-dessous vendent des billets pour des spectacles en matinée et en soirée. Arrivez au moins 1h avant l'ouverture pour être sûr d'avoir des places !
• TKTS Times Square : W 47th St., entre Broadway et 7th Ave. (A3), M° 49th St. – www.tdf.org – Pour les spectacles en soirée, lun. et mer.-sam. 15h-20h, mar. 14h-20h, dim. 15h-19h ; pour les spectacles en matinée, mer.-jeu. et sam. 10h-14h, dim. 11h-15h. File *Play Express* pour les productions non musicales, plus rapide.
• TKTS South Street Seaport : angle Front et John St. (B6), M° Fulton St. – Lun.-sam. 11h-18h, dim. 11h-16h.
• TKTS Downtown Brooklyn : 1 MetroTech Center, angle Jay St. et Myrtle Ave. (C6), M° Jay St. – Lun.-sam. 11h-18h (f. entre 15h et 15h30).
Les sites www.theatermania.com, www.broadwaybox.com et www.travelzoo.com proposent des discounts jusqu'à 50 % sur certains spectacles.
Pistez les *Twofers* (deux places pour le prix d'une) et les coupons de réduction dans les journaux, à l'office de tourisme et dans les hôtels. Enfin, sachez que des places de dernière minute bradées à $20-40 *(Rush tickets)* sont parfois proposées au guichet des théâtres.

Brooklyn
Visite 18 – p. 48

Bargemusic
Fulton Ferry Landing (C6)
M° High St.
☎ (718) 624 49 24
www.bargemusic.org
Résa en ligne
ou au ☎ (800) 838 30 06
Programme et horaires des concerts sur le site
Entrée : $35-$45.

De la musique de chambre sur une péniche ! Ce *concert hall* flottant au pied de Brooklyn Bridge promet un moment magique avec sa vue sur Lower Manhattan. Profitez des concerts gratuits le samedi à 16h (pas de résa, arrivez tôt !).

DANSE

Chelsea et Meatpacking District
Visite 8 – p. 26

Joyce Theater
175 8th Ave., angle 19th St. (A4)
M° 23rd St.
☎ (212) 242 08 00
www.joyce.org
Entrée : $10-$90.

Le Joyce Theater propose des représentations de petites troupes new-yorkaises au talent reconnu. Eliot Feld et sa Ballet Tech Company y ont élu domicile. Meredith Monk et The Erick Hawkins Dance Company s'y sont souvent produits. Le programme d'été du Joyce Theater est bien rempli et inspirant.

Upper West Side, autour du Lincoln Center
Visite 13 – p. 38

David H. Koch Theater
Lincoln Center
Columbus Ave., angle 63rd St. (A2)
M° 66th St.-Lincoln Center

1 - Metropolitan Opera House
2 - Joyce Theater
3 - Metropolitan Opera House
4 - The Public Theater

☎ (212) 496 06 00
www.nycballet.com
Entrée : $29-$155.

Ce somptueux théâtre abrite les spectacles du célèbre New York City Ballet. Les performances s'étendent sur deux saisons : de Thanksgiving à fin février, puis de début avril à début juin. Les meilleures places sont un peu chères, mais elles en valent largement la peine !

SPECTACLES

East Village / NoHo
Visite 5 – p. 20

The Public Theater

425 Lafayette St., entre Astor Place et E 4th St. (H6)
M° Astor Place ou 8th St.
☎ (212) 967 75 55
www.publictheater.org
Entrée : $25-$70.

Vitrine des nouveaux auteurs et acteurs américains, le plus grand théâtre *Off-Broadway* (cinq salles) programme aussi bien des pièces sociales et politiques que des comédies musicales et le festival Shakespeare in the Park (voir p. 4).

Brooklyn
Visite 18 – p. 48

Brooklyn Academy of Music

30 Lafayette Ave.,
angle Ashland Place (D6)
M° Lafayette Ave.
☎ (718) 636 41 00
www.bam.org
Box office : lun.-sam. 12h-18h
Entrée : à partir de $20.

Des performances de Laurie Anderson aux ballets de Pina Bausch, l'avant-gardiste BAM balaie tous les champs artistiques depuis 1861 : opéra, danse, musique, théâtre et cinéma d'auteur. Le bon plan : les concerts gratuits de R&B, rock, jazz ou pop (ven.-sam. 22h) au BAM Café (1er ét.).

SPORT

Empire State Building / Garment District
Visite 10 – p. 30

Madison Square Garden

7th Ave., entre 31st et 33rd St. (A3)
M° 34th St.-Penn Station
☎ (212) 465 67 41
www.thegarden.com
Résa : ☎ (866) 858 0006
www.ticketmaster.com
Box office : lun.-sam. 9h-18h.

Rendez-vous au Garden pour goûter à l'ambiance survoltée d'un match de basket-ball des Knicks ou de hockey sur glace des New York Rangers. L'arène de 20 000 places accueille aussi des combats de boxe, de catch et de grands concerts pop.

New York,
sous les feux de la rampe

Les spectacles jouent un rôle considérable dans la vie quotidienne des New-Yorkais, d'autant plus que beaucoup sont gratuits. En été, Central Park retentit d'airs d'opéra ou de musique techno, des tréteaux improvisés accueillent au coin des rues danseurs et acteurs en herbe. Non contente d'être déjà un spectacle à elle toute seule, New York s'impose comme la capitale de la scène mondiale.

Broadway shows

Les 39 théâtres officiels de Broadway (Winter Garden, Belasco Theater, Minskoff Theater, Eugene O'Neill Theater…) sont concentrés dans un petit périmètre appelé Theater District, qui se situe autour de Times Square entre 41st et 53rd St. Ces théâtres de plus de 500 places proposent des productions spectaculaires aux budgets colossaux, pouvant rester à l'affiche plusieurs mois ou plusieurs années. Ce sont essentiellement des grandes comédies musicales (The Lion King, The Book of Mormon, Wicked, The Phantom of the Opera, Mamma Mia !, Chicago…) ou des pièces de théâtre portées par des stars de cinéma. Pour la plupart des Broadway shows, comptez au minimum $100 et jusqu'à $500 le week-end pour les meilleures places (premium ticket).

Off-Broadway

La scène new-yorkaise ne se limite pas aux grosses

Dance Theater Workshop

productions de Broadway. En dehors de Theater District, la scène Off-Broadway réunit une centaine de salles de 100 à 500 places proposant des productions moindres mais d'excellente qualité ainsi qu'un répertoire plus varié : théâtre classique ou avant-gardiste, musicals, one-man-show… à des prix bien moins élevés que Broadway (de $20 à $100). The Public Theater et la Brooklyn Academy of Music (voir p. 137) comptent parmi les meilleurs théâtres Off-Broadway.

Off-Off Broadway

L'Off-Off Broadway regroupe toute la scène expérimentale, soit près de 300 salles de moins de 100 places disséminées dans toute la ville. Ce sont des productions à petits budgets dont le prix d'entrée varie entre $15 et $50. Vous y découvrirez notamment le travail de jeunes compagnies de théâtre dans une ambiance intimiste. Contrairement aux *Broadway shows*, il est préférable de bien comprendre l'anglais. Consultez le magazine *Village Voice* car le choix est immense !

New York sur un pas de danse

C'est au lendemain de la Seconde Guerre mondiale que New York a acquis son statut de capitale de la danse. Martha Graham ouvrait alors la voie à la danse moderne. Dans les années 1950, Merce Cunningham enrichit la jeune chorégraphie américaine d'une esthétique nouvelle en essaimant dans toute la ville ses recherches avant-gardistes. Les années 1960 ont apporté une créativité nouvelle et une liberté plus grande. Aujourd'hui, les chorégraphes, comme Trisha Brown, investissent lofts et galeries d'art.

Silence, on tourne !

New York est la ville la plus filmée au monde ! Depuis l'âge d'or des années 1930 et 1940 jusqu'à Woody Allen, Sydney Pollack ou Francis F. Coppola, tous les grands metteurs en scène se sont laissé séduire. Les New-Yorkais fréquentent beaucoup le cinéma, bien que les salles soient peu nombreuses. En marge des grosses productions, les cinéphiles se retrouvent dans quelques lieux privilégiés, à la programmation pointue : le MoMA (voir p. 35 et 59), l'Angelika Film Center (18 W Houston St., H7, M° Broadway-Lafayette St., ☎ (212) 955 25 70, www.angelikafilmcenter. com) ou le Film Forum (209 W Houston St., G7, M° Houston St. ou Spring St., ☎ (212) 727 81 10, www. filmforum.org, tickets : $13). La ville compte également un grand nombre de festivals de cinéma, dont l'incontournable **TriBeCa Film Festival** (voir p. 4).

Les comédies musicales

La première comédie musicale jouée à New York, *The Black Crook*, date de 1866 et s'est jouée 475 fois ! Cinq heures et demie de divertissement mêlant pour la première fois danse, théâtre, musique et effets spéciaux. Elle suscite un engouement tel que les promoteurs de spectacles s'emparent de la tendance. Jusqu'à la fin des années 1920, la comédie musicale évolue fortement grâce à la contribution de grands compositeurs comme Gershwin ou Cole Porter, et à l'arrivée d'interprètes de talent comme Fred Astaire. Enfin, l'adaptation cinématographique de certaines grandes *musical comedies* comme *West Side Story* (1961) ou *My Fair Lady* (1964) a encore renforcé leur popularité. Aujourd'hui, ces *Broadway shows* animent plus que jamais la ville.

Les sons
de la Grosse Pomme

La scène musicale new-yorkaise est trépidante ! Aux nombreuses salles de concerts s'ajoutent une multitude de bars de quartier où des groupes jouent plusieurs soirs par semaine. Une scène locale qui n'a souvent rien à envier aux artistes de renom. Car ici, le niveau est élevé, et il suffit de tendre l'oreille au hasard de votre trajet, dans la rue ou le métro, pour vous en rendre compte !

La capitale du jazz

Après sa première apparition à La Nouvelle-Orléans, le jazz débarque à Chicago puis à New York (principalement à Harlem) et la ville acquiert le titre de capitale mondiale du jazz dès les années 1920. À La Nouvelle-Orléans, le jazz est un art de rue ; à New York, un art de scène. De nombreux cabarets comme le Cotton Club participent à la popularité et au succès des musiciens. Tous les grands, de Louis Armstrong à Miles Davis en passant par Sidney Bechet, Count Basie, Duke Ellington, Charlie Parker, Ella Fitzgerald, Thelonious Monk ou John Coltrane, se sont produits à New York. De

nouveaux styles comme le swing (1930), le be-bop (1940), le hard bop (1955) ou le free jazz (1960) y sont nés. Selon la légende, ce sont les musiciens de jazz qui ont surnommé la ville « la grosse pomme »

(Big Apple), en référence au trac, cette boule dans la gorge avant de monter sur scène…

Rock, folk & Co

New York est à l'origine d'autres genres musicaux ou en est devenue l'épicentre. Cela pour deux raisons : l'immense quantité de salles de concerts que compte la ville et l'incroyable mixité de sa population. C'est le cas de la folk music apparue dès les années 1940 dans Greenwich. Ce genre, souvent lié à un engagement politique, a été grandement représenté par des artistes comme Joan Baez ou Bob Dylan. Le rock alternatif, ou plus précisément la punk music, a été porté par la scène new-yorkaise des années 1980 et son club mythique, le CBGB. Le hip-hop a débuté dans le Bronx des années 1970 alors que des DJ s'initiaient à isoler les percussions de morceaux de funk ou de soul music. C'est ici qu'est né, en 1982, l'immense hit de Grandmaster Flash, *The Message*, prémice du rap…

Les perles du métro

Nombreux sont les New-Yorkais qui laissent filer leur métro tant ils sont happés par le spectacle qui s'offre sur le quai ! Une réincarnation d'Otis Redding à vous donner la chair de poule, un trio de jazz qui décoiffe, une formation de funk à vous faire oublier votre rendez-vous… D'excellents artistes qui viennent se produire gratuitement pour tenter de se faire remarquer et de vendre leur propre CD. Une mine d'or !

Hot Pick

L'influence des clubs

C'est sans doute la ville qui réunit le plus de clubs de musique au monde, et qui plus est dans tous les genres. Des grands stadiums, comme le Madison Square Garden, aux clubs mythiques et petites salles de quartier, il y en a pour

tous les goûts et pour toutes les bourses. Le jazz est omniprésent avec de grands clubs tels le **Blue Note**, le **Village Vanguard** ou l'**Iridium** (voir p. 134), mais aussi des lieux comme le **Zinc Bar** (voir p. 134) ou le **Smoke** (voir p. 134). Malgré la fermeture du CBGB en 2006, la scène rock est toujours très active. Williamsburg et le Lower East Side regroupent la majorité des salles dédiées aux musiques alternatives. Le quartier de Greenwich possède également une liste de clubs dédiés à divers univers : jazz, rock, pop, brésilien, funk… Enfin, un club à ne manquer sous aucun prétexte : le **Joe's Pub** (voir p. 133) ! Sa programmation riche et diversifiée reflète l'énergie et la créativité de la ville.

Le Lincoln Center, une institution

Construit dans les années 1960 et récemment rénové, c'est le principal centre culturel de la ville (voir p. 39).

Il compte dix-neuf salles et n'occupe pas moins de 6 ha ! Fief de la musique classique puisqu'il accueille l'Opéra et l'orchestre philharmonique, cet impressionnant complexe propose aussi du jazz avec le Jazz at Lincoln Center (voir Dizzy's Club Coca-Cola p. 134), de la danse avec le New York City Ballet, du théâtre, du cinéma (dont le New York Film Festival), des écoles, une bibliothèque destinée aux arts de la scène (Library for the Performing Art), ou encore de la musique de chambre au Alice Trully Hall.

Carnet pratique

Sur les cartes du chapitre Visiter,	⊙ 000	⊙ 000	⊙ 000
ces symboles signalent les adresses	Où manger	Shopping	Sortir

Ils donnent le numéro de la page où vous pourrez lire la description détaillée de chaque établissement.

Quand partir ?

Les meilleures périodes pour passer quelques jours à New York sont les demi-saisons. Dès la mi-mars, la fraîcheur est agréable et les beaux jours s'annoncent avec quelques hausses de température. En juin, il fait déjà beaucoup plus chaud. Les mois de juillet et août sont réputés parmi les plus pénibles de l'année pour leur chaleur moite (jusqu'à 40 °C), et les orages sont parfois violents. L'automne confère un charme particulier à la ville (températures douces et belle lumière). L'hiver à New York est rude, les températures souvent au-dessous de 0 °C, et le vent sec et coupant. Pourtant, à Noël, New York est magique avec ses grands magasins dont les vitrines brillent de mille feux.

SE RENSEIGNER AVANT DE PARTIR

- **NYC & Company France :**
Informations sur New York par e-mail uniquement, et envoi de brochures sur demande : nyc-france@articleonze-tourisme.com – www.nycgo.com
- **Ambassade des États-Unis :**
2, av. Gabriel, 75008 Paris
☎ 01 43 12 22 22
http://french.france.usembassy.gov
- **Service des visas :**
☎ 0 810 26 46 26 (attention, il vous sera facturé 14,50 € par appel !) – www.usvisa-info.com

Pour y aller

■ EN AVION

Il y a plus de dix vols directs quotidiens pour se rendre de Paris à New York et un vol au départ de Nice. Attention, les femmes mariées doivent réserver leur billet avec leur nom de jeune fille figurant en bas du passeport.
À New York, les aéroports internationaux sont **John F. Kennedy International Airport (JFK)** et **Newark Liberty International Airport**, situé dans l'État du New Jersey.

Les compagnies assurant des vols directs sont :

- Air France
Depuis la France : ☎ 36 54 (t. l. j., 6h30-22h)
Depuis les États-Unis : ☎ 1 (800) 221 1212
www.airfrance.fr

- American Airlines
Depuis la France : ☎ 0 821 980 999
Depuis les États-Unis : ☎ 1 (800) 433 73 00
www.americanairlines.fr

- Delta Air Lines
Depuis la France : ☎ 0 892 702 609
Depuis les États-Unis : ☎ 1 (800) 241 41 41
www.delta.com

- United Airlines
Depuis la France : ☎ 01 71 23 03 35 (t. l. j. 8h-16h)
Depuis les États-Unis : ☎ 1 (800) 864 83 31
www.united.com

D'autres compagnies proposent des vols quotidiens avec escale depuis Paris. Soyez attentif, les compagnies régulières proposent souvent des tarifs dégriffés sur leur site Internet. Attention, si vous réservez un vol discount sur une centrale de réservation en ligne, vous ne pourrez ni modifier ni annuler votre billet.

Dormir à New York

■ QUEL QUARTIER ?

Pour un **séjour culturel,** privilégiez l'Upper West Side et l'Upper East Side autour de Central Park. Moins calme mais central, Midtown est idéal pour les **spectacles de**

PENSEZ-Y !

FORMALITÉS

• Passeports et visas

Pour bénéficier de l'exemption de visa pour les États-Unis, vous devez impérativement posséder un passeport biométrique, électronique ou à lecture optique délivré avant le 26 octobre 2005 (passeport Delphine) ainsi qu'un billet aller-retour pour un séjour n'excédant pas 90 jours. Pour vérifier la validité de votre passeport ou pour faire une demande de visa, rendez-vous sur le site Internet de l'ambassade américaine : **http://french.france.usembassy.gov**
N'attendez pas le dernier moment car le temps d'attente pour l'obtention d'un visa peut être très long (jusqu'à dix semaines).

• Autorisation de voyage

Tout voyageurs exempté de visa doit remplir une demande d'autorisation de voyage aux États-Unis sur le site Internet de l'ESTA (Electronic System for Travel Authorization) au plus tard 72h avant le départ : **https://esta.cbp.dhs.gov/esta**
Sans cette autorisation électronique, l'entrée aux États-Unis sera refusée ! Moyennant $14, un numéro d'ESTA est délivré, valable deux ans (dans la limite de validité du passeport), et figurera dans le dossier de réservation de vols.

• Permis de conduire

Le permis de conduire français de plus d'un an est valable pour un séjour aux États-Unis n'excédant pas trois mois.

ASSURANCE

Prévoyez une assurance rapatriement, qui vous sera utile en cas d'accident grave. Les voyagistes la proposent, comprise ou non dans le forfait. De plus, un certain nombre de cartes de crédit incluent cette assurance dans leurs avantages.

SANTÉ

Aucun vaccin n'est obligatoire pour entrer aux États-Unis, néanmoins mieux vaut être bien portant car le prix des soins médicaux est exorbitant. Pour vous mettre à l'abri des mauvaises surprises, rien ne vous empêche de contracter une assurance.
Pour les urgences : ☎ 911.

DOUANE

Pour pouvoir entrer sur le sol américain, la déclaration de douane distribuée dans l'avion doit être complétée, sans ratures, et remise à l'officier d'immigration à votre arrivée. Le passage à l'immigration n'est pas une simple formalité : prise des empreintes digitales, photo et parfois interrogatoire en règle sur les motivations de votre séjour (conservez l'adresse de votre hôtel avec vous et évitez les plaisanteries). Il est interdit d'importer des produits alimentaires non stérilisés, des végétaux et des peaux d'espèces protégées. Vous pouvez importer 1 l de vin ou d'alcool, 200 cigarettes, 100 cigares ou 2 kg de tabac. Les cadeaux que vous apportez ne doivent pas excéder un montant total de $100. Au-delà, vous devrez payer 3 % de droits de douane (plus pour les bijoux et les vêtements). En cas de traitement médical particulier, conservez l'ordonnance qui correspond à sa prescription. Au retour en France, des droits de douane et des taxes sont applicables si le montant total de vos achats est supérieur à 430 €.
ATTENTION, veillez à ce que vos appareils électroniques munis de batterie (smartphone, ordinateur, tablette…) soient chargés lors de votre passage au filtre de sécurité. Il vous sera peut-être demandé de les allumer et d'apporter la preuve qu'ils fonctionnent. À défaut, l'appareil pourra être confisqué et détruit.
U.S. Customs & Border Protection
www.cbp.gov
Infos Douane française
☎ 0811 20 44 44 – www.douane.gouv.fr

Broadway. Les adresses souvent plus abordables de Chelsea, Greenwich Village, East Village, SoHo et TriBeCa sont parfaites pour le **shopping** et les **sorties nocturnes.** Financial District compte de nombreux hôtels bradant leurs chambres le week-end… À standing équivalent, Brooklyn et Queens offrent des chambres moins chères à seulement quelques stations de métro de Manhattan.

■ CLASSIFICATION

À New York, il faut distinguer : les palaces, les hôtels toutes catégories, les B&B et *guesthouses* (de la simple chambre à l'appartement privé avec ou sans services), et les *hostels* (auberges de jeunesse avec dortoirs ou chambres avec salle de bains commune). Souvent petites, les chambres ont en principe l'équipement standard (TV, téléphone, climatisation, Internet gratuit ou non…). À plusieurs, il est plus rentable de louer un appartement. Consultez **www.homelidays.com** ou **www.nyhabitat.com**

■ TARIFS

Les prix varient en fonction de la localisation, du jour de la semaine et du taux de remplissage. Les tarifs les plus bas sont appliqués en janvier et février, les plus élevés à Pâques, de septembre (après Labor Day) au 31 décembre et lors d'événements majeurs. Pour une chambre double standard au confort minimal, comptez de $90 à $150 en basse saison, le double ou le triple en haute saison. Les prix affichés sont toujours hors taxes. La taxe hôtelière est de 14,75 % et la taxe de séjour de $3 à $6 par nuit et par chambre. Le petit déjeuner n'est pas toujours compris (ni parfois même proposé) et coûte en moyenne $15. Mieux vaut le prendre à l'extérieur. Téléphoner de sa chambre d'hôtel coûte très cher (voir p. 151).

BONS PLANS INTERNET

Sur Internet, promotions et bonnes affaires sont fréquentes. Pour bénéficier du meilleur tarif, allez d'abord sur le site de l'hôtel puis consultez les différents sites de comparatif de prix tels que : **www.trivago.fr**, **www.booking.com**

■ RÉSERVATION

Si vous partez en haute saison, réservez longtemps à l'avance. En basse saison, réservez au dernier moment : les hôtels bradent leurs chambres. Il est aussi plus avantageux de réserver sur les sites Internet des hôtels (promos spéciales), des agences de voyages et des centrales de réservation hôtelière qui bénéficient de tarifs négociés (réductions jusqu'à 50 %) comme **www. quikbook.com**, **www.expedia.com** ou **www.hotels.com**

Retrouvez notre sélection d'adresses p. 152.

Se déplacer

■ DE L'AÉROPORT AU CENTRE-VILLE

Les aéroports de New York sont très bien reliés à Manhattan. Dans les aérogares, suivez les panneaux « Ground Transportation » pour les transports en commun ou « Taxi ».

John F. Kennedy International Airport (JFK)

www.panynj.gov/airports/jfk.html

• En transports en commun

L'option la plus économique consiste à emprunter l'Air Train, la navette de l'aéroport ($7,50, train et métro inclus), à destination de la station de métro Jamaica Station (10-15 min). Muni d'un ticket pour trajet unique ($3) ou d'une *MetroCard* (voir p. 145), prenez ensuite la ligne E du métro pour Midtown Manhattan et Queens, ou les lignes J et Z pour Brooklyn et Lower Manhattan (trajet entre 50 et 75 min selon destination) ; ou encore le LIRR (Long Island Rail Road), le train rapide à destination de Penn Station (25 min, $15,50 Air Train compris). Une autre navette Air Train dessert la station de métro Howard Beach, d'où l'on peut prendre la ligne A pour Brooklyn et Lower Manhattan.

• En bus express

Avec un départ toutes les 30 min, le bus express NYC Airporter dessert les gares de Grand Central Terminal (angle 42nd St. et Park Ave. – B3), Penn Station (W 33rd entre 6th et 7th Ave. – A3) et Port Authority Bus Terminal (8th Ave., angle 42nd St. – A3). À l'arrêt Grand Central Terminal, des navettes gratuites assurent le transfert vers les hôtels de Midtown situés entre 23rd et 63rd St. (à préciser lors de la résa de votre hôtel).

NYC Airporter : ☎ (718) 875 82 00 – www.nycairporter.com – Env. $16 l'aller, $29 l'aller-retour.

• En navette

Les compagnies SuperShuttle et Airlink ont mis en place un service collectif de vans de l'aéroport à la destination de votre choix. Rendez-vous au bureau d'information (Ground Transportation Desk) où un agent vous assistera. Vous pouvez aussi réserver en utilisant le téléphone gratuit, prévu à cet effet, à côté du comptoir. Le trajet peut être très long (jusqu'à 2h) si on vous dépose en dernier. Pour le retour, réservez 24h à l'avance. À partir de 3 personnes, le taxi est plus rentable et plus rapide.

SuperShuttle : ☎ (800) 258 38 26 – www.supershuttle.com – $20-$25 l'aller par personne
Airlink : ☎ (212) 812 90 00 – www.goairlinkshuttle.com – $20-$25 l'aller par personne.

• En taxi

Comptez $52 (prix fixe) auxquels il faut ajouter péages et pourboire (env. 15 %) ! Le trajet est d'environ 1h selon la densité de la circulation.

Newark Liberty

www.panynj.gov/airports/newark-liberty.html

• En transports en commun

Suivez les panneaux « Air Train ». Ce train vous conduira de votre terminal vers la gare de l'aéroport (Newark Liberty International Airport Train Station). Prenez ensuite un train du réseau Amtrak ou NJ Transit, reliant en 30 min la gare Penn Station de New York ($12,50, Air Train inclus), à ne pas confondre avec Newark Penn Station sur le trajet.
Infos sur **www.airtrainnewark.com**

• En taxi

Comptez un minimum de $50 + péages et pourboire. Le trajet est d'au moins 45 min.

■ SUR PLACE

Lire la carte

New York se compose de cinq *boroughs* ou municipalités : Manhattan, le Bronx, Queens, Brooklyn et Staten Island. Située entre East River et Hudson River, l'île de Manhattan regroupe les principaux centres d'intérêt et se divise en trois parties.

• Downtown (de la pointe sud à 14th St.) regroupe les quartiers de Lower Manhattan, TriBeCa, Chinatown, Little Italy, NoLIta, SoHo et Lower East Side.

• Midtown (de 14th St. à 59th St., au sud de Central Park) englobe les Villages (Greenwich, West et East), Chelsea, le Theater District et le quartier autour du Rockefeller Center.

JOURS FÉRIÉS

- **New Year's Day :** 1er janvier
- **Martin Luther King Jr. Day :** 3e lundi de janvier
- **President's Day :** 3e lundi de février
- **Memorial Day :** dernier lundi de mai
- **Independance Day :** 4 juillet
- **Labor Day :** 1er lundi de septembre
- **Columbus Day :** 2e lundi d'octobre
- **Veteran's Day :** 11 novembre
- **Thanksgiving :** dernier jeudi de novembre
- **Christmas Day :** 25 décembre.

• Uptown (de 60th St. au nord de l'île) est divisé en deux par Central Park avec West Side et Upper West Side à l'ouest, East Side et Upper East Side à l'est, et Harlem au nord.

Il est très facile de se repérer dans Manhattan, bâtie selon un plan géométrique : rues (Street ou St. orientées est/ouest) et avenues (Ave., sud/nord) sont perpendiculaires. Une adresse se compose ainsi d'un numéro de rue et d'un numéro d'avenue. Les avenues portent des numéros de 1 à 12 (5th Ave.), des noms (Park Ave., Broadway) ou des lettres (A, B, C, D dans East Village). Les rues sont aussi désignées par des numéros de 1 à 220 (1st St.). Seules exceptions : dans le West Village et Downtown, où le tissu urbain est plus anarchique, rues et avenues sont désignées par des noms. Les avenues sont numérotées du sud vers le nord (sauf Ave. A, B, C et D, où c'est le contraire) et les rues de l'est vers l'ouest pour la zone à l'ouest de 5th Ave. et de l'ouest vers l'est pour la zone à l'est de 5th Ave. Par exemple, 1 W 21st St. se trouve à l'ouest, donc à gauche de 5th Ave. et 1 E 21st St. est à droite. Trouvez le plus court chemin d'un point à un autre, à pied, en bus ou en métro sur **www.hopstop.com**

Titres de transport

Le ticket bus/métro à l'unité *(single ride ticket)* coûte $3 ($6,50 pour les bus express). Dans le bus, prévoyez la somme exacte en pièces de monnaie *(change)* et demandez un *transfer ticket* si vous souhaitez une correspondance. Plus avantageuse et valable pour le bus, le Roosevelt Island Tramway (p. 147) et le métro, la ***MetroCard*** (achat carte $1) est une carte magnétique rechargeable disponible aux guichets et distributeurs automatiques des stations de métro, à l'office de tourisme et dans certains commerces :

- **Pay-Per-Ride MetroCard :** vous chargez autant de trajets que vous le souhaitez, de $5,50 à $80. Vous obtenez 11 % de bonus sur le coût réel de vos trajets.

- **Unlimited Ride MetroCard :** nombre de voyages illimité, valable 7 jours (*7-Day Unlimited Pass*, $31, ou $57,25 avec l'option *Express Bus*) ou 30 jours (*30-Day Unlimited Ride MetroCard*, $116,50).

Infos bus et métro :
MTA (Metropolitan Transportation Authority) – New York City Transit – ☎ 511 – www.mta.info
Les plans de bus et de métro sont disponibles dans les stations de métro.
Voir aussi le plan officiel du métro au verso du plan détachable.

En métro *(subway)*

Rapide et économique, le métro est surtout pratique pour parcourir Manhattan du nord au sud (d'est en ouest, c'est la marche, le bus ou le taxi) et pour relier Brooklyn et Queens. **Il fonctionne 24h/24** (service réduit la nuit et le week-end). Les bouches de métro sont signalées par des globes verts (rouges quand les guichets sont fermés ou à horaires réduits). **Attention, plusieurs stations portent le même nom** : il y a par exemple cinq stations 23rd St. sur cinq avenues. Des panneaux *Uptown* (vers le nord) ou *Downtown* (vers le sud) indiquent leur direction ainsi que le numéro des lignes (chiffres ou lettres). Vérifiez le numéro du train avant de monter, des lignes différentes pouvant desservir une même station. De plus, **il existe deux types de train : le *local* est omnibus tandis que l'*express* dessert uniquement les stations principales.**

En bus

À condition de ne pas être pressé, c'est un bon moyen de découvrir New York. En service 24h/24, ils sillonnent les rues d'est en ouest (*Crosstown*, arrêt à toutes les avenues) et les avenues du nord au sud (*Uptown* ou *Downtown*, arrêt tous les deux ou trois *blocks*). Les arrêts sont signalés par des panneaux bleus, blancs et rouges ; le numéro de ligne et le terminus apparaissent à l'avant et sur le côté du bus. Les **bus express** *(Express Bus)* désignés par un X ne circulent qu'aux heures de pointe.

En taxi

New York ne serait pas New York sans ses 12 000 taxis jaunes *(yellow cabs)* qui dévalent les avenues à toute allure sans se soucier des nids-de-poule, plaquant les passagers au fond des banquettes ! Vous pouvez héler les taxis dont le numéro sur le toit est allumé (les lumières latérales indiquent qu'ils ne sont plus en service). Il est rare que les chauffeurs parlent couramment l'anglais, alors soyez précis dans vos indications. Indiquez le *crossing road* (carrefour) qui correspond à la section de rue où vous souhaitez vous rendre. La prise en charge coûte $2,50 puis c'est 50 cents tous les 320 m (+ taxe de 50 cents par voyage, majoration de 50 cents de 20h à 6h et de $1 de 16h à 20h en semaine). Il faut laisser un pourboire entre 15 et 20 % du prix de la course, plus si vous avez des bagages. De plus en plus de taxis acceptent la carte de crédit.

En bateau

Les ferries et les *water taxis* permettent de relier Uptown, Downtown, Staten Island, Brooklyn, Queens, le Bronx et le New Jersey par la voie des eaux.

• Staten Island Ferry
Battery Park, Whitehall Terminal (B6) – M° Whitehall St. ou South Ferry – ☎ (718) 727 25 08 www.siferry.com – 24h/24, départ toutes les 30 min (15 min aux heures de pointe) – Gratuit.
Ce ferry conduit les habitants de Staten Island jusqu'à chez eux. La traversée de la baie de New York (25 min) offre un panorama exceptionnel sur Downtown et ne coûte pas un penny ! (Voir p. 11).

• New York Water Taxi
☎ (212) 742 19 69 – www.nywatertaxi.com – T. l. j. 10h-18h – Formule *hop-on / hop-off* : $30.
Ces bateaux taxis proposent une formule *hop-on / hop-off* permettant de descendre et de remonter aux débarcadères suivants : W 44th St., Battery Park, South Street Seaport

(Pier 17) et Fulton Ferry Landing (DUMBO, Brooklyn). Tour complet en 90 min.

• Governors Island Ferry

Face au port de New York, cet îlot de verdure (accessible fin mai-fin septembre uniquement) est une destination de week-end très prisée : pique-nique, balade à pied ou à bicyclette, concerts et spectacles gratuits… (Voir p. 11).

Depuis Manhattan :

Battery Maritime Building, 10 South St. (B6) – ☎ (212) 440 22 00 – www.goviland.com Lun.-ven. ttes les heures de 10h à 16h15, sam.-dim. à 10h, 11h, 11h30 puis ttes les 30 min jusqu'à 17h30 Ferry 2$ aller-retour, gratuit sam.-dim. 10h, 11h et 11h30.

Depuis Brooklyn :

Brooklyn Bridge Park, Pier 6 (HP par C6) : sam.-dim., Memorial Day et Labor Day à 11h, 11h30, 12h30 puis toutes les heures jusqu'à 17h30 – Ferry 2$, gratuit sam.-dim. à 10h, 11h et 11h30 (11h et 11h30 de Brooklyn).

• East River Ferry

www.eastriverferry.com – Trajet : lun.-ven. 4$, sam.-dim. 6$ – Journée : lun.-ven. 12$, sam.-dim. 18$.

Pratique pour relier rapidement Brooklyn et Queens depuis Manhattan, l'East River Ferry fait la navette entre Midtown (E 34th St.) et Lower Manhattan (Wall St./Pier 11) via Long Island City (Hunters Point South), Greenpoint (India St.), Williamsburg (2 arrêts à N 6th St. et Schaefer Landing) et DUMBO (Brooklyn Bridge Park). Le week-end, arrêt supplémentaire à Governors Island (voir ci-dessus).

En téléphérique

Roosevelt Island Tramway

Départ angle 59th St. et 2nd Ave. – www.rioc.com – Dim.-jeu. 6h-2h, ven.-sam. 6h-3h30 – Accessible uniquement avec la *MetroCard*.

Une balade originale pour le prix d'un ticket de métro ! À 76 m au-dessus de l'East River, ce téléphérique relie Manhattan à Roosevelt Island (5 min) et offre une vue époustouflante sur la ville. Des bus rouges permettent ensuite de faire le tour de l'île (voir p. 43).

À pied

Connaître et sentir New York implique de se déplacer à pied ! C'est bien moins cher et nettement plus excitant ; les rues sont animées, chaque carrefour réserve une surprise. Mais attention, soyez respectueux du Code de la route : évitez de traverser n'importe quand et hors des passages cloutés, vous risqueriez de vous faire vertement remettre à votre place, voire de vous faire renverser.

À vélo

Le vélo ne se limite plus aux allées de Central Park ! New York compte aujourd'hui plus de 600 km de pistes cyclables (tout le réseau sur www.nycbikemaps.com). Et pour faciliter vos déplacements, le vélo est autorisé dans le métro.

Avec **Citi Bike** (www.citibikenyc.com), vous pouvez louer un vélo 24h/24, 7j/7 à l'une des bornes installées à Manhattan (sud de Central Park) et à Brooklyn. Retirez votre *pass* 24h ou 7 jours (9,95$, 25$ + taxe) à l'une des stations avec votre carte bancaire (caution de 101$ bloquée durant votre abonnement). La première demi-heure est gratuite, la seconde coûte 4$, puis chaque demi-heure supplémentaire 12$. Une formule intéressante à condition de limiter ses déplacements à 30 min.

Toga Bike Shop

110 W End Ave. (A2) – M° 66th St.-Lincoln Center – ☎ (212) 799 96 25 www.togabikes.com – Lun.-ven. 11h-19h, sam. 10h-18h, dim. 11h-18h – 35$/jour.

À rollers

Si vous voulez partager cette passion avec les New-Yorkais, rendez-vous à Central Park (voir p. 41) le week-end ! Casque et genouillères sont indispensables ! Location :

Blades, Board & Skate

156 W 72nd St., entre Amsterdam Ave. et Columbus Ave. (A2) – M° 72nd St. ☎ (212) 787 39 11 – www.blades.com – Lun.-sam. 10h-20h, dim. 10h-19h – Env. 25$/jour.

STATUE DE LA LIBERTÉ ET ELLIS ISLAND, MODE D'EMPLOI

Compte tenu de l'affluence touristique vers Liberty Island et Ellis Island (voir p. 10), il est fortement conseillé de réserver votre trajet en ferry à l'avance sur Internet. Vous éviterez ainsi une première queue à la billetterie de Castle Clinton, avant celle de l'embarquement (contrôle de sécurité 30-90 min). Trois types de réservation sont possibles. La réservation simple (*Reserve Only*, $18) comprend le trajet en ferry, la visite avec audioguide des deux îles et celle du musée de l'immigration d'Ellis Island. Si vous souhaitez visiter le piédestal et le musée de la statue de la Liberté, réservez un billet « with » Pedestal Access (même tarif) car le nombre de places est limité. Pour un billet avec accès à la couronne (*Crown Ticket*, $21, comprenant aussi le piédestal), la réservation à l'avance est OBLIGATOIRE, sur Internet ou par téléphone uniquement (souvent complet des mois à l'avance de mai à sept.). Il est impératif d'embarquer avant 13h pour être autorisé à visiter les deux îles.

À voir, à faire

■ OFFICES DE TOURISME

Attention, les offices de tourisme de la ville de New York sont susceptibles de changer de lieu d'une année sur l'autre (se renseigner au préalable). Un seul numéro de téléphone et un seul site Internet pour obtenir toutes les informations touristiques : ☎ (212) 484 12 22 – www.nycgo.com

• Official NYC Information Center at Macy's Herald Square
151 W 34th St., entre 7th Ave. et Broadway (mezzanine au rez-de-chaussée du magasin Macy's)
M° 34th St.-Herald Square – Lun.-ven. 9h-21h30, sam. 10h-21h30, dim. 11h-20h30.

• Official NYC Information Center – South Street Seaport
Hornblower Cruises sur l'esplanade au bord d'East River, Pier 15 (angle South et John St.) – M° Fulton St.
T. l. j. 9h-19h (17h sept.-avr.).

• City Hall (kiosque)
Au sud de City Hall Park, à l'angle de Broadway et Park Row (B6) – M° City Hall, Park Place ou Brooklyn Bridge-City Hall – ☎ (212) 484 12 22 – Lun.-ven. 9h-18h, sam.-dim. 10h-17h, j. f. 9h-15h.

• Chinatown (kiosque)
Croisement Canal St., Walker St., Baxter St. (H8) – M° Canal St. – ☎ (212) 484 12 22
T. l. j. 10h-18h, j. f. 9h-15h.

■ VISITES GUIDÉES

À pied, en bus ou en bateau, il y a mille et une façons d'explorer la ville. Pour vous faire une idée, surfez sur **www.nycgo.com** et sur **www.nycwalk.com**

À pied (walking tours)

• Big Apple Greeter
☎ (212) 669 81 59 – www.bigapplegreeter.org – Lun.-ven. 9h-17h
Résa 4 semaines minimum avant votre arrivée – Gratuit, don suggéré $20 (6 pers. maxi).
Visitez gratuitement le quartier de votre choix avec un New-Yorkais bénévole.

• Big Onion Walking Tours
476 13th St. (HP par D6) – ☎ (212) 439 10 90 – www.bigonion.com – Calendrier des visites sur le site – $20.
Gangs of New York, Greenwich Village, Central Park… (visites par des historiens).

• On Location Tours
www.onlocationtours.com – Info : ☎ (212) 683 20 27, résa avec Zerve : ☎ (212) 913 97 80
À partir de $25-$50.
Visites guidées sur les lieux cultes de séries et de films.

En bus

• Gray Line
New York Sightseeing : 777 8th Ave., entre 47th et 48th St. (A3) – M° 49th St. ou 50th St. – ☎ (800) 669 00 51
ou (212) 445 08 48 – www.newyorksightseeing.com – T. l. j. 7h-21h – $39-$159 selon la formule.
Circuits en *double decker bus* (bus à un étage), avec formule *hop-on / hop-off* (48h ou 72h).

• The Ride
234 W 42nd St., entre 7th et 8th Ave. (A3) – M° Times Square-42nd St. – ☎ (646) 289 50 60
www.experiencetheride.com – Box office : lun.-sam. 10h-20h30, dim. 10h-16h30
$74 en période de pointe.
Ce bus propose un voyage original dans la ville, ponctué de performances de rue
(danse, chant…) avec interaction entre le public et les artistes. Ambiance garantie !

À vélo

• Central Park Bike Tours
203 W 58th St., angle 7th Ave. (A2) – M° 59th St.-Columbus Circle – ☎ (212) 541 87 59
www.centralparkbiketours.com – Mai-oct. : lun.-sam. 8h-20h, dim. 8h-18h ; nov.-avr. : lun.-sam. 9h-20h,
dim. 9h-18h – $49 (gratuit avec le NY Pass ; 1ers arrivés 1ers servis).
Des balades à vélo commentées de 2h sont proposées dans différents quartiers
de la ville et Central Park.

En bateau

• Circle Line
Pier 83, W 42nd St. et 12th Ave. (A3) – M° 42nd St.-Port Authority – ☎ (212) 563 32 00
www.circleline42.com – Horaires variables selon saison – $21-$66.
Croisières touristiques nocturnes ou à grande vitesse à bord du Beast (mai-oct.).

Dans les airs

• Liberty Helicopters Tours
Downtown Manhattan Heliport : 6 East Rivers Pier (B6) – M° Whitehall St.-South Ferry – ☎ 1 800 542 99 33
ou (212) 967 64 64 – www.libertyhelicopter.com – Lun.-sam. 9h-18h30, dim. 9h-17h – $150 (12 à 15 min) et
$215 (18 à 20 min) par personne (+ $35 de taxe par personne).
Survol du port de New York, de la statue de la Liberté et d'Ellis Island en hélicoptère.

NEW YORK GRATUIT

New York est une ville chère, mais il est possible de faire un grand nombre d'activités sans débourser un penny !
• Pour dénicher les bons plans, rendez-vous sur : **www.freeinnyc.net, www.clubfreetime.com** et dans la rubrique « Free » du site **www.nycgo.com** Ces sites Internet répertorient expos, animations et événements gratuits.
• Voici quelques idées qui ne vous coûteront rien : le Museum at the FIT (p. 31), le National Museum of the American Indian (p. 11), Hamilton Grange National Memorial (p. 47), Federal Hall (p. 12), 9/11 Memorial (p. 12), visites guidées de St Patrick's Cathedral (p. 35), le ferry de Staten Island (p. 146), les visites guidées de Big Apple Greeter (p. 148), les galeries d'art de SoHo et Chelsea (p. 22 et 27), les expos d'art du Time Warner Center (p. 38), les parcs où concerts et activités sont fréquents comme à Central Park (p. 41) et la balade sur le Brooklyn Bridge (p. 48).
• Profitez de la gratuité ou du *pay what you wish* (donation libre) hebdomadaire de certains musées (mais gare à la foule !) : New Museum of Contemporary Art (p. 19), Museum of Arts and Design (p. 38), Morgan Library (p. 37), MoMA (p. 35), Asia Society (p. 43), Frick Collection (p. 43), Whitney Museum (p. 26), Jewish Museum (p. 45), Guggenheim (p. 45), Neue Galerie (p. 45), Studio Museum in Harlem (p. 46), Noguchi Museum (p. 52), Brooklyn Museum (p. 49), Museum of Chinese in America (p. 16), Eldridge Street Synagogue (p. 19), New York Historical Society Museum (p. 40), Museum of the Moving Image (p. 53).
• Pour s'informer, une multitude de **magazines** comme The Village Voice sont distribués gratuitement.
• Le réseau de transports new-yorkais (MTA) propose une application gratuite, *Arts for Transit,* qui recense les 186 œuvres d'art visibles dans le métro : **www.mta.info/art/app**
• De nombreux **concerts** et **spectacles** sont gratuits durant l'été (voir p. 4-5). Ils ont lieu dans les parcs de la ville, sur des esplanades, au David Rubinstein Atrium (voir Lincoln Center p. 39), à la Juilliard School of Music (p. 39) ou même dans des églises. Pour plus de précisions, consultez le New York Times, le Village Voice ou le Time Out. Les événements gratuits y sont toujours listés.
• Et pour surfer en toute liberté, le **Wifi** est gratuit dans les parcs et les cafés Starbuck's.

■ LES MUSÉES

Les musées sont généralement ouverts du mardi au dimanche de 10h à 17h, avec parfois une nocturne, et fermés certains jours fériés. Le prix d'entrée est élevé, en général entre $10 et $25. Certains musées pratiquent la gratuité (voir l'encadré « New York gratuit » p. 149), la *suggested donation* (don suggéré à l'entrée) ou le *pay what you wish* (on paie ce qu'on veut) au moins un soir par semaine.

Visiter malin avec les pass

Disponibles à l'office de tourisme (voir p. 148) ou au guichet des musées, les *pass* donnent accès à plusieurs musées, monuments et attractions, et permettent de faire des économies et d'éviter la queue aux caisses.

• City Pass
Valable 9 jours – www.citypass.com – $114.
Observatoire de l'Empire State Building, Muséum d'histoire naturelle, MET, Guggenheim (ou Top of the Rock), statue de la Liberté (extérieur), Ellis Island (ou croisière avec la Circle Line), 9/11 Memorial & Museum (visites à partir de 14h avr.-sept.) et Intrepid Sea, Air and Space Museum. Économie : 40 % du prix total !

• New York City Explorer Pass
Valable 30 jours – Infos au ☎ (866) 629 43 35 – www.smartdestinations.com
3, 5, 7 ou 10 attractions pour $76, $119, $149 ou $179.
Choisissez le nombre de sites dans une liste d'attractions plutôt complète.

• New York Pass
 www.newyorkpass.com – 1 jour $90, 2 jours $140,
3 jours $180, 5 jours $220, 7 jours $240, 10 jours $260.
Accès à 80 sites et attractions, et nombreuses réductions, mais difficilement rentable.

■ S'INFORMER

Pour connaître l'actualité culturelle (musées, expos, galeries, spectacles…), procurez-vous les hebdomadaires **Time Out New York** (www.timeout.com/newyork), **New York Magazine** (www.nymag.com) ou **The New Yorker** (www.newyorker.com). L'édition week-end du **New York Times** (www.nytimes.com) comprend un supplément culturel très complet, et tous les événements du moment apparaissent dans la rubrique « Events » du site **www.nycgo.com** L'hebdo gratuit **The Village Voice** (www.villagevoice.com) est aussi à consulter. Concernant les soirées plus underground, récupérez les **flyers** dans les magasins de disques ou les boutiques branchées : ils vous permettront d'obtenir des réductions à l'entrée.

Et le budget ?

Se loger est ce qu'il y a de plus cher à New York. Pour le reste, la ville est si vaste et si variée qu'elle peut s'adapter à toutes les bourses. Comptez au minimum $380 par jour à deux pour le logement, les repas et les transports. Ajoutez à cela votre budget visites et shopping ! Comptez $15 par personne pour le petit déjeuner, entre $15 et $25 pour le déjeuner et à partir de $35 pour le dîner (boisson et pourboire compris ; voir p. 76).

■ COMMENT PAYER ?

La monnaie américaine se compose de billets de 1, 2 (rares), 5, 10, 20, 50 et $100 (dollars ou *bucks* en argot) et de pièces de 1 cent (*penny*), 5 cents (*nickel*), 10 cents (*dime*), 25 cents (*quarter*) et $1. Faites attention : tous les billets se ressemblent ! De même couleur et de même dimension, ils se distinguent par les portraits des grands hommes politiques américains. Privilégiez les petites coupures (jusqu'à $20), plus faciles à utiliser. Pour connaître le taux de change entre le dollar et l'euro (en juin 2015, 1 € valait $1,09), consultez **www.xe.com**
Les cartes bancaires internationales Visa, MasterCard et American Express sont acceptées

et permettent de retirer de l'argent liquide aux distributeurs (ATM) partout dans la ville. Vous aurez le meilleur taux de change en retirant sur place (attention au plafond de retrait de votre carte) à condition de prélever une somme importante d'un coup pour limiter les frais sur les transactions (taxe fixe d'env. $3 + commission de votre banque) ; n'hésitez pas à vous renseigner auprès de votre établissement bancaire. L'achat de devises dans les banques et surtout dans les bureaux de change est moins avantageux (évitez ceux de l'aéroport).

En cas de perte ou de vol de votre carte :
Visa : ☎ 1 (800) 847 29 11 depuis les États-Unis – www.visa.fr
MasterCard : ☎ 0 800 90 13 87 (anglais), ☎ 1 (800) 627 83 72 depuis les États-Unis www.mastercard.com/fr/gateway.html
American Express : ☎ 01 47 77 72 00, ☎ 1 (877) 297 44 38 depuis les États-Unis www.americanexpress.com
N° interbancaire d'opposition : ☎ (33) 442 605 303 (depuis l'étranger), t. l. j. 24h/24.

INFOS TRÈS, TRÈS PRATIQUES

NO SMOKING !
Il est strictement interdit de fumer dans tous les lieux publics de la ville (restaurants, bars, parcs, plages, zones commerciales et piétonnes, et également sur certaines places comme Times Square). Attention, la loi est scrupuleusement appliquée, et les amendes élevées ($250) !

TIPS : POURBOIRES MODE D'EMPLOI
Tips courants : $1-$2 par verre au *bartender*, 15 à 20 % de l'addition au serveur (obligatoire), $1 par bagage au porteur de valises, 3 à $5 par jour à la femme de chambre, 15 à 20 % de la course au taxi.

DÉCALAGE HORAIRE
Entre New York et la France, le décalage horaire est de 6h : s'il est 12h à New York, il est 18h en France. Attention, l'heure d'été à New York (+1h) est en vigueur à partir du 2e dimanche de mars et jusqu'au dernier dimanche d'octobre. Pendant 2 semaines (jusqu'à la date du changement d'heure français), le décalage horaire n'est donc pas de 6h mais de 5h. Les Américains parlent en terme d'a.m. *(ante meridiem)* pour la matinée et de p.m. *(post meridiem)* pour l'après-midi : 7 a.m. signifie 7h du matin, et 7 p.m. 19h.

VOLTAGE, POIDS, MESURES
Aux États-Unis, l'électricité fonctionne en 110 volts/60 hertz et les fiches des prises sont plates. Munissez-vous d'un adaptateur et d'un convertisseur ! Pour convertir poids et mesures, consultez le site **www.convert-me.com**

ÉCRIRE ET TÉLÉPHONER
• **Les timbres** *(stamps)* sont vendus dans les bureaux de poste. Les boîtes aux lettres « US Mail » sont bleues. Comptez une semaine de délai et $1,10 pour une carte postale vers la France.
General Post Office :
421 8th Ave., entre 31st et 33rd St. (A3)
☎ (212) 330 32 96
Ouvert 24h/24 (bornes automatiques).
UPS (United Postal Service)
☎ (800) 782 78 92 – Pour une livraison express.
• **Pour téléphoner** à New York depuis la France, composez le 00 +1 (indicatif des États-Unis) + indicatif local ou *area code* (212 ou 646 pour Manhattan, 718 ou 347 pour Brooklyn, Queens, le Bronx et Staten Island) + numéro à 7 chiffres de votre correspondant.
Pour téléphoner en France depuis New York, composez le 011 + 33 (indicatif de la France) + le numéro de votre correspondant sans le 0. À New York, les numéros débutant par 800, 877 et 888 sont gratuits, et l'indicatif 917 correspond à un numéro de portable.
Pour téléphoner depuis une cabine *(public phone)* ou de votre chambre d'hôtel, procurez-vous une carte téléphonique prépayée *(prepaid phone card)* en vente dans les kiosques à journaux et drugstores. Évitez d'appeler directement de votre chambre d'hôtel, car les tarifs sont souvent très élevés, et les numéros en 800 et appels locaux normalement gratuits peuvent être facturés.

NUMÉROS UTILES
☎ **911** (urgences)
☎ **411** (renseignements téléphoniques)
☎ **311** (informations et services de New York).
Consulat de France :
934 5th Ave. (entre 74th et 75th St. – B1)
☎ (212) 606 36 00
www.consulfrance-newyork.org
Lun.-ven. 9h-13h.

Nos hôtels
par quartiers

Donnés à titre indicatif, les prix annoncés correspondent à une chambre double standard, petit déjeuner compris, sauf mention contraire, en basse et en haute saison, hors taxes. Attention, les tarifs sont très variables !

1 - Hotel Metro
2 - Carlton Arms Hotel
3 - Hotel Metro

Lower East Side
Visite 4 – p. 18

The Bowery House

220 Bowery, entre Prince St. et Spring St. (I7) – M° Bowery
☎ (212) 837 23 73
http://theboweryhouse.com
Cabine double $89-$130
Pas de petit déj.

Un foyer pour vétérans de la Seconde Guerre mondiale reconverti en *hostel* rétro et stylé (affiches vintage et sofas Chesterfield dans le living-room). Cabine simple ou double avec ou sans fenêtre (oubliez l'intimité). Salles de bains communes non-mixte.

Off SoHo Suites Hotel

11 Rivington St., entre Bowery St. et Chrystie St. (I7)
M° Bowery
☎ (212) 979 98 15
www.offsoho.com
Suite pour 2 $179-$199, suite *deluxe* pour 4 $259-$379
Pas de petit déj.

Simples et spacieuses, ces suites dotées d'une kitchenette et d'un salon sont une bonne alternative aux chambres d'hôtel minuscules de New York.

East Village / NoHo
Visite 5 – p. 20

St Marks Hotel

2 St Mark's Place, entre 2nd et 3rd (H6)
M° Astor Place
☎ (212) 674 01 00
www.stmarkshotel.net
$110-$200
Pas de petit déj.

60 chambres classiques au confort basique et à des prix très raisonnables au cœur d'East Village.

SoHo / NoLIta
Visite 6 – p. 22

The Sohotel

341 Broome St., angle Bowery (I7)
M° Bowery
☎ (212) 226 14 82
www.thesohotel.com
$134-$289
Pas de petit déj.

Cet hôtel affiche une centaine de petites chambres avec salle de bains et équipement standard (bruyantes côté boulevard).

Greenwich Village /
West Village
Visite 7 – p. 24

The Larchmont Hotel

27 W 11th St.,
entre 6th et 5th Ave. (H6)
M° 14th St.
☎ (212) 989 93 33
www.larchmonthotel.com
$119-$129 en sem.,
$130-$145 le w.-e.

Cette *brownstone* abrite 66 chambres à la déco basique avec lavabo (sdb communes). Surtout pour la situation, le calme et les prix imbattables.

Washington Square Hotel

103 Waverly Place,
angle MacDougal St. (H6)
M° W 4th St.
☎ (212) 777 95 15
www.washingtonsquarehotel.com
$200-$350.

Ce bel hôtel Art déco accueille artistes et écrivains depuis plus d'un siècle. Bar, restaurant et salle de fitness.

Chelsea
et Meatpacking
District
Visite 8 – p. 26

The Jane Hotel

113 Jane St., angle W St. (A4)
M° 8th Ave.-14th St.
☎ (212) 924 67 00
www.thejanenyc.com
$125-$135 en double avec lits superposés et salle de bains commune, $275-$325 en *Captain's Cabin* avec queen beds et salle de bains privée ; pas de petit déj.

Fief du célèbre Cafe Gitane, ce petit hôtel rétro où furent hébergés les rescapés du *Titanic* est couru par les jeunes branchés. Au choix, couchettes superposées de wagon-lit, cabines de bateau ou chambres doubles.

Colonial House Inn

318 W 22nd St.,
entre 9th et 8th Ave. (A4)
M° 23rd St.
☎ (212) 243 96 69
www.colonialhouseinn.com
Chambres $130-$185 (salle de bains commune), $180-$245 (salle de bains privée), suites (5 pers.) à partir de $300.

Les hétéros apprécient également cette adresse *gay friendly* (20 chambres cosy et 2 suites avec cuisine).

Flatiron District
Visite 9 – p. 28

The Evelyn

7 E 27th St., entre 5th et Madison Ave. (B4)
M° 28th St.
☎ (212) 545 80 00
www.theevelyn.com
Queen supérieure $169-$289
Pas de petit déj.

Un hôtel de style Beaux-Arts (1903), très bien situé dans le quartier trendy de NoMad (North of Madison Square). Il propose de jolies chambres aux petites touches Art nouveau, un peu petites mais confortables.

Carlton Arms Hotel

160 E 25th St.,
entre Lexington et 3rd Ave. (B4)
M° 23rd St.
☎ (212) 679 06 80
www.carltonarms.com
$100-$120 (salle de bains commune), $130-$150 (salle de bains privée) ; pas de petit déj.
Ce petit hôtel atypique et arty est une aubaine pour les petits budgets. Les 54 chambres rudimentaires ont été peintes par divers artistes. Service minimal.

Hotel 17

225 E 17th St.,
entre 2nd et 3rd Ave. (B4)
M° 3rd Ave.
☎ (212) 475 28 45
www.hotel17ny.com
$120-$165 ; pas de petit déj.

Immortalisé par Woody Allen dans *Meurtre mystérieux à Manhattan,* cet hôtel propose des chambres de poche authentiquement rétro façon papier peint et couvre-lits fleuris avec lavabo (sanitaires sur le palier).

Empire State
Building /
Garment District
Visite 10 – p. 30

Hotel Metro

45 W 35th St., entre l'Empire State Building et Bryant Park (B3)
M° Herald Square
☎ (212) 947 25 00
www.hotelmetronyc.com
Double $174-$394.

Idéalement situé, l'Hotel Metro vous accueille dans une ambiance cosy et rétro, typiquement new-yorkaise. Le plus ? Son *rooftop* qui offre une vue imprenable sur l'Empire State Building. Situé à un carrefour touristique, cet établissement de standing permet de rejoindre à pied Times Square, 5th Avenue, Madison Square Garden et Broadway, et le métro est accessible à seulement 20 m… *What else ?*

Herald Square Hotel

19 W 31st St., entre Broadway et 5th Ave. (B3)
M° 33rd St.
☎ (212) 279 40 17
www.heraldsquarehotel.com
$189-$289.

Logé dans les anciens bureaux de *LIFE Magazine,* cet hôtel est bon marché pour le quartier. Avec leur salle de bains rétro, les chambres sont simples et coquettes mais parfois sombres !

The Ace Hotel

20 W 29th St., entre Broadway et 5th Ave. (B3)
M° 28th St.
☎ (212) 679 22 22

www.acehotel.com
$259-$449.

Atypique, urbain, branché, The Ace est un repaire de *hipsters*. Des chambres pour tous les budgets, dont la déco mêle l'industriel et le vintage. Une ambiance 100 % new-yorkaise !

New Riff

300 W 30th St., angle 8th Ave. (A3)
M° 34th St.-Penn Station
☎ (212) 244 78 27
www.riffhotels.com
Double avec salle de bains commune $99-$159, suite $189-$329 ; pas de petit déj.

Chambres *poppy* déclinées en noir et blanc, avec écran plat et Wifi gratuit, dans un petit hôtel rock'n'roll et *eighties* décoré d'affiches de Madonna, Culture Club et de vinyles. Agréable patio pour se relaxer.

Midtown West, de Times Square à Fifth Avenue
Visite 11 – p. 32

414 Hotel

414 W 46th St.,
entre 9th et 10th Ave. (A3)
M° 50th St.
☎ (212) 399 00 06
www.414hotel.com
$249-$349.

Ce charmant boutique-hôtel occupe deux *townhouses* décorées avec goût. La plupart des chambres donnent sur une jolie cour fleurie offrant le luxe inestimable du silence à New York.

The French Quarters Guest Apartments

346 W 46th St., entre 9th et 8th Ave. (A3)
M° 50th St. ou 42nd St.
☎ (212) 359 66 52
www.frenchquartersny.com
$220-$850.

Une adresse intimiste de 22 chambres et 5 suites élégantes d'inspiration Nouvelle-Orléans avec kitchenette, écran plasma, lecteur DVD et Wifi gratuit.

Yotel

570 10th Ave.,
angle W 42nd St. (A3)
M° 42nd St.
☎ (646) 449 77 00
www.yotelnewyork.com
$149-$349.

Dans l'esprit des hôtels capsules japonais, cet hôtel high-tech tout en blanc et lumières fluo offre, de la simple cabine à la suite VIP, des vues époustouflantes sur Manhattan et la plus grande terrasse de la ville.

Midtown East, vers Grand Central Terminal
Visite 12 – p. 36

Pod 39

145 E 39th St., entre Lexington et 3rd Ave. (B3)
M° Grand Central-42nd St.
☎ (212) 865 57 00
www.thepodhotel.com
2 lits superposés $140-$240 ; chambre double $170-$270.

Chambres douillettes, design et connectées (*media center* pour brancher tous vos appareils et Wifi gratuit), dans un building en brique de 1918. Bar lounge sur le toit avec vue sur l'Empire State.

TRIUMPH HOTELS

Triumph Hotels est une chaîne de sept boutiques-hôtels, tous situés dans Manhattan, chacun reflétant l'âme de son quartier (du luxueux Midtown au style bobo-chic de Soho...). The Iroquois New York, Hotel Chandler, Hotel Belleclaire, Cosmopolitan Hotel-Tribeca, The Evelyn, The Washington Jefferson Hotel et l'Edison Hotel allient le charme architectural de l'ancien au confort moderne (Wifi, écrans plats, design contemporain). Le staff, très attentionné envers ses clients, saura vous apporter entière satisfaction quel que soit le motif de votre séjour : en couple, en famille, en groupe ou en voyage d'affaires...

☎ (855) 787-4867 – www.triumphhotels.com
Double $250-$400.

Pod 51

230 E 51st St., entre 2nd et 3rd (B3)
M° Lexington Ave.-53rd St. ou 51st St.
☎ (212) 355 03 00
www.thepodhotel.com
2 lits superposés $89-$169 ; chambre double $179-$239
Petit déj $10.

Un cocon design qui propose des chambres minimalistes et contemporaines avec coin bureau, station iHome et Wifi gratuit. Le *roofgarden* invite à la détente.

Upper East Side / Museum Mile
Visite 16 – p. 44

Stay the Night

18 E 93rd St.,
entre 5th et Madison Ave. (B1)
M° 96th St.
☎ (212) 722 83 00
www.staythenight.com
$170-$295 (jusqu'à $450 pendant Noël)
Pas de petit déj.

« Passez la nuit ici » pour profiter en toute indépendance (pas de services) de ces suites traditionnelles dans une *townhouse* du quartier le plus huppé de Manhattan.

Harlem
Visite 17 – p. 46

1 - The Ace Hotel
2 - The French Quarters Guest
Apartments
3 - Hotel Chandler

Brooklyn
Visite 18 – p. 48

Aloft Brooklyn
216 Duffield St., entre
Willoughby St. et Fulton St. (D6)
M° Jay St. ou Hoyt St.
☎ (718) 256 38 33
www.aloftnewyorkbrooklyn.com
$149-$269.

Chambres sobres et confortables, espaces communs à la
déco fraîche et *poppy,* centre de
fitness, terrasse et piscine commune avec le Sheraton voisin…
C'est Aloft Harlem (voir plus
haut) version Brooklyn !

Williamsburg
Visite 19 – p. 50

Wythe Hotel
80 Wythe Ave.,
angle N 11th St. (D4)
M° Bedford Ave.
☎ (718) 460 80 00
http://wythehotel.com
Baby Queen room $199-$425.

The Harlem Flophouse
242 W 123rd St., entre
7th et 8th Ave. (D2)
M° 125th St.
www.harlemflophouse.com
$125-$150 (s. de bains commune)
Pas de petit déj.

Une *brownstone* pour replon-
ger dans le Harlem des années
1930 : meubles et papiers peints
vintage, cheminées et bai-
gnoires en fonte. Une adresse
authentique et sophistiquée
sans TV, mais avec Internet et
climatisation !

Aloft Harlem
2296 Frederick Douglass Blvd
(8th Ave.), entre W 123rd
et W 124th St. (D2)
M° 125th St.
☎ (212) 749 40 00
www.aloftharlem.com
$149-$300.

À quelques *blocks* de l'université
de Columbia et de l'Apollo Theater, un hôtel *urban style* avec sa
déco tendance, ses équipements
high-tech et son ambiance
décontractée. Station snack
24h/24, salle de fitness, billard
et cocktails au lounge.

Chambres spacieuses et lumineuses, de style minimaliste
old school, dans une fabrique
de textile 1900 revisitée dans
l'esprit cool de Brooklyn : baie
vitrée pour s'endormir devant
la skyline de Manhattan, murs
de briques et papier peint
très new-yorkais. Restaurant et
bar très courus.

EXPRESSIONS USUELLES

Matin : *morning*
Après-midi : *afternoon*
Soir : *evening /night*
Bonjour / au revoir (usuel) :
 hello, hi / bye
Comment allez-vous ? :
 how are you doing ?
Je vais bien : *I'm fine*
Merci : *thank you*
Il n'y a pas de quoi :
 you're welcome
Manger : *to eat*
Boire : *to drink*
Comprenez-vous :
 do you understand ?
Je ne comprends pas :
 I don't understand
Excusez-moi : *excuse me*
Parlez-vous le français ? :
 do you speak French ?
Je veux : *I want*
Je voudrais : *I would like*
Combien cela vaut-il ? :
 how much is it ?
C'est trop cher :
 it's too expensive
10 cents : *dime*
25 cents : *quarter*
Espèce : *cash*
Monnaie : *change*
Tarif : *fare, rate, fee*
On ne rend pas la
 monnaie : *exact change*

ESPACE ET TEMPS

Après/avant : *after/before*
Aujourd'hui : *today*
Demain : *tomorrow*
Encore : *again*
Hier : *yesterday*
Là-haut : *up there*
Maintenant : *now*
Où : *where*
Pendant : *during*
Près : *near*
Quand : *when*
Tard/tôt : *late/early*
À demain :
 see you tomorrow
Heure : *hour*
Minute : *minute*
Montre : *watch*
Quelle heure est-il ? :
 what time is it ?
Il est une heure :
 it's one (o'clock)
Midi/minuit : *noon/midnight*

SHOPPING

Argent : *money*
Baskets (chaussures) :
 sneakers
Bijou : *jewel*
Biologique : *organic*
Bottes : *boots*
Boutique : *shop/store*
Capuche : *hood*
Casquette : *cap*
Ceinture : *belt*
Chapeau : *hat*
Chaussettes : *socks*
Chaussures : *shoes*
Chemise : *shirt*
Coton : *cotton*
Cravate : *tie*
Cuir : *leather*
Dentelle : *lace*
Écharpe : *scarf*
« En gros » : *whole sale*
Étiquette : *tag*
Gants : *gloves*
Jouet : *toy*
Journal : *newspaper*
Jupe : *skirt*
Laine : *wool*
Lin : *linen*
Livre : *book*
Lunettes (de soleil) :
 (sun)glasses
Marché : *market*
Or : *gold*
Pantalon : *pants*
Poids : *weight*
Pointure : *size*
Prix : *price*
Pull-over : *sweater*
Rayure : *stripe*
Robe : *dress*
Sac (à main) : *(hand) bag*
Soie : *silk*
Soldes : *sales*
Sous-vêtements :
 underwear
Soutien-gorge : *bra*
Supermarché :
 supermarket
Talons : *heels*
Uni : *plain*
Veste, manteau : *jacket*

À LA DOUANE

Carte d'identité :
 ID (identity card)
Devises étrangères :
 foreign currency
Douanier :
 customs agent
Objets personnels :
 personal effects
Passeport : *passport*
Quel est l'objet de votre
 voyage ? : *what is the
 purpose of your trip ?*
Rien à déclarer ? :
 nothing to declare ?
Vacances : *vacation*

À L'HÔTEL

Réservation : *booking*
Chambre simple / double:
 single / double room
Salle de bains particulière :
 private bathroom
Quel est le prix de cette
 chambre ? : *what is the
 rate of this room ?*
À quelle heure doit-on
 libérer la chambre ? :
 what is the check out time ?

AU RESTAURANT

Addition : *check, bill*
Boisson (sans alcool) :
 soft drink
Boisson alcoolisée : *drink*
Déjeuner : *lunch*
Dessert : *dessert*
Dîner : *dinner*
Eau : *water*
Eau du robinet : *tap water*
Eau gazeuse/minérale :
 sparkling/mineral water
Épicerie de quartier :
 delicatessen
Garçon/serveuse :
 waiter/waitress
Menu : *menu*
Pain : *bread*
Petit déjeuner : *breakfast*
Plats du jour : *specials*
Pourboire : *tip*
Pour emporter / sur place :
 take out /eat in
Vin : *wine*

EN VILLE

À droite : *on the right*
À gauche : *on the left*
Au nord/au sud
 de Manhattan :
 uptown / downton
Métro : *subway*
Pâté de maisons : *block*
Rue : *street*
Taxi : *taxi, cab*
Ticket de métro : *token*

Nouvelle édition revue et enrichie par **Natasha Penot.**
Précédentes éditions revues et enrichies par **Sandrine Rabardeau.**
Édition originale établie par **Anne-Catherine Sore** avec **Thierry Chauvaud**
et **Hélène Firquet.**

Ont également collaboré à cette édition : **Emmanuelle Fernandez, Claire Jager,
Mathilde Ricciardelli** et **Magali Vidal.**

Cartographie : **Frédéric Clémençon** et **Aurélie Huot.**

Conception graphique de la couverture :
Caroline Joubert (www.atelier-du-livre.fr)
Conception graphique de la maquette intérieure : **Thibault Reumaux.**
Mise en pages intérieure : **Chrystel Arnould.**

Contact publicité : vhabert@hachette-livre.fr – ☎ 01 43 92 32 52.
Contact presse : rmazef@hachette-livre.fr – ☎ 01 43 92 36 66.

Écrivez-nous :
Aussi soigneusement qu'il ait été établi, ce guide n'est pas à l'abri des changements de dernière heure,
des erreurs ou omissions. Ne manquez pas de nous faire part de vos remarques. Informez-nous aussi de
vos découvertes personnelles, nous accordons la plus grande importance au courrier de nos lecteurs :

Guides *Un grand week-end* – Hachette Tourisme
58, rue Jean-Bleuzen – 92170 Vanves

E-mail : weekend@hachette-livre.fr

Crédit photographique

Intérieur :

Toutes les photographies de cet ouvrage ont été réalisées par **Yoann Stoeckel,** à l'exception de celles
des pages suivantes :

Romain Boutillier : p. 14, p. 19, p. 24, p. 25 (b.), p. 39 (c. d., b.), p. 41 (c. g.), p. 45 (ht), p. 50, p. 51, p. 60, p. 63 (ht g.), p. 71 (c. d.), p. 78 (ht g. et ht d.), p. 85 (ht g.), p. 89 (ht g.), p. 98 (c. d.), p. 99 (ht d.), p. 100 (b.), p. 102 (ht d.), p. 104 (ht g.), p. 106 (ht d.), p. 108 (ht g.), p. 109 (c.), p. 110 (ht d. et b.), p. 112 (ht d.), p. 113 (ht d. et b.), p. 116 (ht d.), p. 119 (ht), p. 152 (ht d.), p. 155 (ht d.).

Patrice Hauser : p. 29, p. 41 (b. d.), p. 70 (ht g.), p. 72 (b.), p. 73 (ht et c.), p. 78 (b. g.), p. 81 (ht g.), p. 85 (b. g.), p. 86 (ht g., b. g.), p. 90 (ht g.) p. 94 (ht d. et b.), p. 98 (b. g.), p. 109 (b. d.), p. 111 (b. d.), p. 122 (ht g.), p. 127 (ht d., b. g. et b. d.), p. 135 (ht g.), p. 138 (ht d.), p. 139 (c.), p. 140 (ht g., ht d.), p. 141 (c. d.), p. 155 (ht g.).

Jérôme Plon : p. 10, p. 11 (ht g.), p. 17 (ht g. et c.), p. 18, p. 20, p. 21 (ht), p. 28, p. 30, p. 33 (g.), p. 34 (ht), p. 35 (g.), p. 36, p. 37, p. 38, p. 39 (c. g.), p. 40, p. 41 (ht), p. 42, p. 43 (g. c. et c.), p. 44, p. 45 (b.), p. 48, p. 53, p. 54 (ht d.), p. 55, p. 58, p. 59 (ht d.), p. 61, p. 63 (ht d.), p. 64, p. 65, p. 66, p. 67, p. 68, p. 69 (b.), p. 70 (b.), p. 72 (ht g.), p. 75, p. 85 (ht d.), p. 86 (b. d.), p. 96 (ht g.), p. 105, p. 106 (ht g.), p. 107, p. 108 (ht d.), p. 110 (ht g.), p. 111 (c.), p. 112 (ht g. et b.), p. 113 (c. g.), p. 114 (b.), p. 116 (ht g. et b.), p. 117, p. 118 (ht g.), p. 122 (ht d.), p. 124 (ht d. et b. g.), p. 130 (ht d. et b. d.), p. 132 (ht g. et ht d.), p. 135 (ht d., b. g. et b. d.), p. 137 (ht g., ht d. et b. g.), p. 138 (ht g. et b.), p. 139 (ht), p. 140 (b.), p. 141 (ht g. et b.).

Natasha Penot : p. 7 (ht d.), p. 17 (b.), p. 22, p. 32, p. 43 (b.), p. 94 (ht g.), p. 98 (ht d.), p. 99 (c. g.) p. 101 (ht d.), p. 102 (ht g. et c.), p. 106 (b.), p. 108 (b.), p. 114 (ht), p. 115, , p. 120 (ht g. et b.), p. 121 , p. 130 (ht g.).

© SMG Photography : p. 152 ht g. et b, © Courtesy of Triumph Hotels : p. 155 b.

Photothèque Hachette : p. 66 (b.).

Couverture :

Yoann Stoeckel, à l'exception du visuel principal : © gettyimages / GARDEL Bertrand.

*Conformément à une jurisprudence constante (Toulouse 14-01-1887), les erreurs ou omissions involontaires
qui auraient pu subsister dans ce guide, malgré nos soins et les contrôles de l'équipe de rédaction, ne sau-
raient engager la responsabilité de l'éditeur.*

Le contenu des annonces publicitaires insérées dans ce guide n'engage en rien la responsabilité
de l'éditeur.

Édité par Hachette Livre (58, rue Jean-Bleuzen, CS 7007, 92178 Vanves Cedex)
Imprimé par Polygraf (Capajevova 44, 08199 Presov, Slovaquie)
Achevé d'imprimer en septembre 2015
ISBN : 978-2-01-249037-6 – 24/9037/3
Dépôt légal : septembre 2015 – Collection N°44 – Édition : 01